P9-BYR-851
罗辑课
24个妈妈教我的街头智慧
罗志祥 著
化学工业出版社
·北 京·

图书在版编目（CIP）数据

罗辑课：24个妈妈教我的街头智慧 / 罗志祥著．—北京：化学工业出版社，2011.3
ISBN 978-7-122-10539-4

Ⅰ.罗… Ⅱ.罗… Ⅲ.成功心理学-通俗读物 Ⅳ.B848.4-49

中国版本图书馆CIP数据核字(2011)第021122号

责任编辑：李岩松　余慧　　文字编辑：余慧
责任校对：顾淑云　　装帧设计：壹诺设计

出版发行：化学工业出版社（北京市东城区青年湖南街13号　邮政编码100011）
印　　装：北京瑞禾彩色印刷有限公司
889mm×1194mm　1/32　印张$5\frac{1}{2}$　字数100千字
2012年4月北京第1版第8次印刷

购书咨询：010-64518888（传真：010-64519686）
售后服务：010-64518899
网址：http://www.cip.com.cn
凡购买本书，如有缺损质量问题，本社销售中心负责调换。

定　　价：28.00元

PARENTAL ADVISORY EXPLICIT CONTENT

{INDEX}

她的街头智慧

街头智慧，就是你只有身在街头才能学到的智慧。
它通常不会记载在书里，也很难在任何一堂课里学到——你想学，还真得深入街头……
就像我妈妈一样。

我妈妈在八岁那年被迫离家，你可以说她沦落街头，一直到十四岁之前，她唯一的栖身之所，就是海边的一个洞穴。
那是妈妈每次回头看，没有埋怨，却还是都会泪湿的一段时光。

就像在街角的一朵小花。
在大多数人都还在备受呵护的童年时光里，她很不一样，她必须靠自己活下去——却依然挺立、依然绽放。
那是上天给那朵小花艰苦的命运，
却没有忘记也同时给她乐观。
还有智慧。

她很早就知道人不用急着当大树、不要急着当矗立的目标，因为那样很容易被移除或遭受风雨攻击。隐身街头的小花，静默地接收雨水跟阳光，在最不起眼的角落，近看车来人往，也看尽冷暖人情——那是她在街头学习的初步，**那是她在街头学到的“生存智慧”**。

十四岁，妈妈遇见一个卖药团，因为她有一个原住民的好歌喉，所以他们带她离开那个街角，进入另一个更漂流的街头。
那朵小花因此看见了更大的世界，她害怕、好奇，可是她很勇敢。她变成卖药团里的开心果，她会把生活里的好事跟坏事，都变成笑话，说给大家听；她能歌善舞，很多人因为她的表演而跟老板买药；当警察来的时候，她还会拉着蓬裙扯着喉咙要大家“快跑啊！”然后自己像一个会飞的灯罩那样冲在最前面……

那朵小花后来变成卖药团的台柱，大家都很喜欢她、帮助她。她大量学习、突飞猛进，**她在这个时期学会的是街头的“做人智慧”**。

可是每当她在晚上听见隔壁的女孩，因为想家而偷偷啜泣的时候，她都会想起自己其实也还有一个家，可是家的记忆很远很远、很模糊……她知道自己到底还是一朵失根的小花。二十岁，她在基隆遇见爸爸，他给她安全感、一个可以信赖的怀抱，他们相爱、结婚，生下我。
那朵小花从一个卖药团台柱，蜕变成一个妻子和母亲。
场景也还是在街头，那是一个爸爸团长、一个歌星妈妈跟一个三岁会打鼓的天才小鼓手，我们“罗家歌舞团”全省跑透透的日子。

那也是她在街头，终于不再孤单的日子。

在那段街头生活里，在身为一个“妻子”的角色的部分，她有时柔软、有时强悍，她强悍的原因，大多数是因为要站在我们前面，保护我们；但当她是一个妈妈的时候，我们很亲——我不知她是如何做到的，我又亲近她、又害怕她；因为她对我的管教非常严厉，但我会接受；因为她总是不教条，她举例给我听的道理，我总是一听就懂，而且很难反驳；因为它们总是发生在我身边，甚至就近在眼前……

后来我才知道，原来那都是妈妈来自街头的“生活智慧”。

现在应该是妈妈可以享清福的时候了。
可是她还是很忙，她也还在街头。
她忙着照顾她的那群流浪动物朋友，从一大早到菜市场拿那些跟摊贩预定好的食物，到开车去喂它们、跟它们说话……但那也只是她的一部分“街头生活”而已；她还有个街头在邻里街坊、在市集摊商；某个台风夜，她正在家里打麻将，听到小区的人说旁边的山坡塌了，她马上冲出去救人，接下来三天她都驻守在小区应变中心，回来后手带着伤，接下来一个月，她就算左手吊着绷带，也还是可以开心地跟邻居打牌……

那就是我妈妈。
我从来没有听过，她对于自己的命运有任何埋怨；相反的，她认为自己能活下来，是因为好运、是因为当时许多来自街头的帮助。所以多年后，她最想回馈的，也还是她最熟悉的街头。

这几年妈妈管我越来越少。
我不知道那是因为我很少犯错，还是因为就像她曾经说过的，当我过了二十岁，就应该对自己的行为负责。
于是我拥有了更大的自由，可以自己做任何人生的选择与决定——但非常奇怪，即便我拥有了那些权力，我还是会在面对任何人生的问题与抉择时，如此轻易的，就又想起了那些，妈妈曾经跟我说过的话……**它们总是如此简单，却深刻，让我轻轻一听，就成为我一生惕历自己、做人处事的依归。**

她不是一个读过很多书的妈妈。
却教会我比任何一本百科全书更多的道理。
那就是她一生在街头所看、所学，甚至还因为她生命的特殊遭遇，才有机会得到的，最珍贵的街头智慧。

所以当出版社要我帮这本书写个“序”，他们说“序”就是说明这本书的定义——我想了很久，但其实很难……
它是一本，罗志祥从小到大，在街头听妈妈说的故事书。
它是一本，我跟歌迷、许多年轻朋友分享，如何越挫越走上坡的人生爬坡手册。
它是一本，爸妈可以送给小孩，哈！一本不啰嗦的床头参考书。

但最后我觉得它可能更像，一本关于一朵街头小花的书——里面是她的勇敢、乐观、热情、善良……那是她一生在街头的观察与收获，它们不一定合乎逻辑，却充满智能，我现在就要把它说出来……

那就是，妈妈教我的24个街头智慧。

LESSON 1

她的街头智慧 我的人生道理

她的街头智慧 我的人生道理

1979年7月30日
有一个小家伙诞生在基隆一个很小很小的角落
那是他在这个世界的第一个舞台

他其实原本不会出现的
因为当时那对夫妇很穷
他们本来要拿掉他
等到他们经济宽松的时候再养小孩

后来他们决定更努力兼差
她哭着说她要这个小孩
一定要!

1

我在这个世界的第一个舞台就是在我邻居产婆家的小钢盆里
她说我刚出生的时候她吓坏了
因为我的头好尖
于是她就土法炼钢一直摸我的头
早也摸 晚也摸 喂奶喂到打瞌睡手也还在摸
后来我的头就圆了耶!

她没有读很多书
她是一个街头艺人
可是她在街头学会的道理很多
那是她的街头智慧

她是我妈妈
而她用手慢慢摸我头的那个笨方法

除了摸圆了我的头
还教会我:
做人要圆融。

那是我妈妈教会我的第一个 做人的道理。

GUERILLA B
THE WAY UP
HELLRON

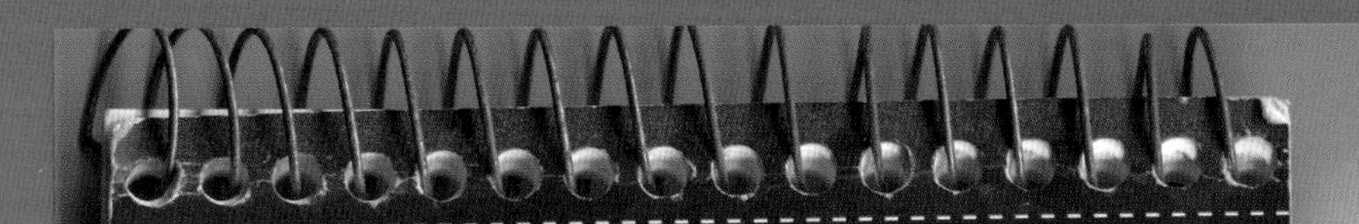

LESSON 2

就让别人知道你吃什么米

贫穷不是病，自卑才要人命。

就让别人知道你吃什么米

应该没有人是天生愿意跟别人承认："我们家很穷"这个事实吧！
因为每个人都很不愿意让别人看不起啊！
我最早对于"我们家很穷"的这个事实的学习，是因为我常去我的堂弟阿松的家里玩。
他们家有很多奇特的糖果、玩具、故事书……噢！应该这么说比较快：他们家有的东西，我们家几乎都没有。
"妈妈，阿松他们家是在做什么的啊？"
我在妈妈的背后问，她正在做饭。
"他们是在做生意的啊！是很大的饮料代理商噢！"
"妈妈！"我又喊她："为什么阿松他们家有好多东西，我们家都没有？"
"因为我们比较穷啊！"妈妈说，然后她就开始铿铃匡啷地炒菜，完全听不见我的声音了……
那是我第一次感受到"穷"这个字的用法。

有一天妈妈跟我说，我的七岁生日快到了，可以找同学来家里玩，大家一起帮我过生日。
我竟然犹豫了。在学校里，好几次想要开口邀请同学，话到嘴边又吞下去了……

但就算大家都来了，妈妈会帮我买蛋糕吗?
我很想问，但还是算了。
可是我在生日前一天还是忍不住哭了……
“妈妈，明天要来我们家的都是我的好朋友，他们会不会发现我们家很穷，然后看不起我，不跟我做朋友了啊?”我真的太担心了。
“阿祥！你知道吗？”妈妈突然放下菜铲，用台语认真地对我说：“卖吼别人看不起，爱厚人灾啊你呷什么米！**（你如果不要让别人看不起，就要让别人知道你吃什么米！）**”
我说，那让人家看我们吃的米，也就是我们吃的食物，不是会更让人家发现我们很穷吗?
“是啊！就是不要怕人家发现啊！如果你很坦荡，让别人知道你的真实状况，就不用心虚、不用遮遮掩掩了啊！因为贫穷并没有犯法噢！而且只要我们一直努力，日子就会越来越好啊！”
妈妈抱着我，我发现妈妈眼睛好像也湿湿的，“阿祥，你要记得噢！不要因为家里穷就变得很自卑，甚至骗别人，我们人穷志不穷！还有噢！你要记得你最大的财富，就是爸爸跟妈妈对你的爱。”

那个让别人知道我们吃什么米的一天，终于到来。
我们都很开心。
有蛋糕。我吃了三大块。
我同学说：“罗志祥，你爸妈真的好好玩！还会扮成超人跟我们一起玩。还有你妈妈做的东西怎么那么好吃！都是炸的跟甜的，还有弄得好好吃的蔬菜跟水果，嘻！真好吃！那我们下次有空还可以到你家玩吗？”
我说好。
但我爸妈很忙，要等他们有空噢！

好像那不只是一个我的生日，我美好的一天，也是他们很难忘的一日。
他们都看见我家，都看见我家很小，因为我们跑着给我爸妈追的时候，都很容易就撞到墙壁。
他们都知道，我家很穷了！
但是那没有关系。
因为我从此不用担心，那不是一个秘密。
而且我知道，如果他们不在意，也只要他们其中有几个人不在意，那就证明在这个世界上，财富绝对不是评断一个人有没有价值的标准。
你如果不要让别人看不起，就让别人知道你吃什么米。

那是我从此的坦荡。
我从此努力的原因。
更是我多年来选择朋友的条件，不管他有没有钱，只要他是个努力的好家伙，就请给我一个机会当你的朋友吧！

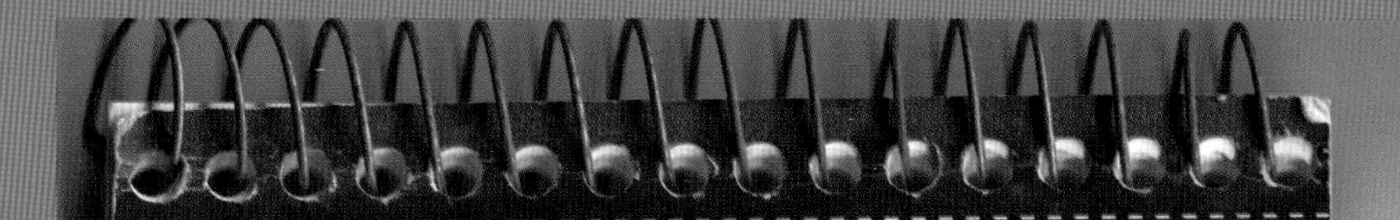

LESSON3

不要跳着拿东西

跳得越高，掉下来的重力就越大！

DON'T JUMP

DON'T JUMP

不要跳着拿东西

小时候我每次因为个子不够高，要跳着去拿高的东西的时候，就会被我妈骂。
这种经验应该是很多人都有的。
因为那样很危险，你可能会因为落地脚没踩稳就受伤；有一次在壁橱里被我拨空的电扇还掉下来，把我的头砸出了一个红肿的大包。

高中的时候，经济状况并不好的爸妈，在我的苦苦哀求下，终于花了几万块帮我买了一辆摩托车。买来后我又一发不可收拾，陷入改装摩托车的狂热，甚至还偷偷跟朋友借钱，只为了把那辆小车改得又狂又炫，好跟许多同学较劲……
突然有一天它被偷了——我在第一时间打电话回家，我只敢跟爸爸说，然后请他来接我。
“妈妈知道我车子不见了吗？”我一见到爸爸就赶紧问。我从爸爸的表情就知道惨了。

我是从大门飞出来的那杯豆浆，知道我妈应该正在吃消夜的，噢！还有饭团、还有在空中支解的半颗卤蛋……
我跪在墙边，脸上还有饭粒，听见我妈像一头狮子，在我身后发出怒吼：“没那个头，就不要戴那个帽子！”我愣了一下(我丢掉的是摩托车耶！怎么是帽子？)，又听见母狮子更大的怒吼：“你如果不要改装那辆摩托车，不要那么高调，满街的摩托车他不偷，干嘛偷你的！”

那是我耳膜爆裂、双腿酸痛的一整个夜晚。我看着白色的墙壁，这是爸妈好不容易才买的自己的房子——我知道爸妈在背负贷款后，还要硬买那辆车给我，已经很不容易了，我还在那辆车子上花了那么多钱……我盯着墙壁，灰白的墙壁上，好像写满了我的后悔……

我以为我很小就懂的道理，一个自恃双腿弹性好，就很爱跳高拿东西的小孩，被妈妈骂了无数次才学会的道理：

不要跳着拿东西。

那一刻我才真的懂了……

后来的我总是谨记着那个道理。

人生前进最好的办法就是脚踏实地，不要贪快、不要贪心，不要跳着去强拿你的实力所摸不到的东西。

所以每当我有一千块，我最多就花掉三百，绝对不做超过实力的事情；所以我后来从小摩托车换成重型机车，后来又换成小房车、大房车、休旅车，按部就班，最后才终于换成我想要的跑车。
当然我偶尔也会迷惑、也会迷惘，也会忍不住在往后的人生道路上又想偷偷踮起我的脚尖……
可是我的耳边马上就会响起妈妈说过的那句话。

那一天，我走进客厅，那是我终于买下的第一间房子，前方的落地窗好大，窗外辽阔的视野，远方有绿地、高架道路、好多的人和车子……这真是一间我梦想了好久的房子，我终于买下它，在我租了七年的公共房屋之后，我终于完成了自己的梦想。
我知道那是我脚踏实地、终于完成的梦想。我很骄傲、很安心，因为那是我用心努力，最后得到的结果。
然后我真的就高兴地掉下眼泪，自己都觉得莫名其妙，但我就那么高兴地哭了起来。
我知道那是因为我又想起了妈妈说过的那句话。

3

RE---WARD

X-----------

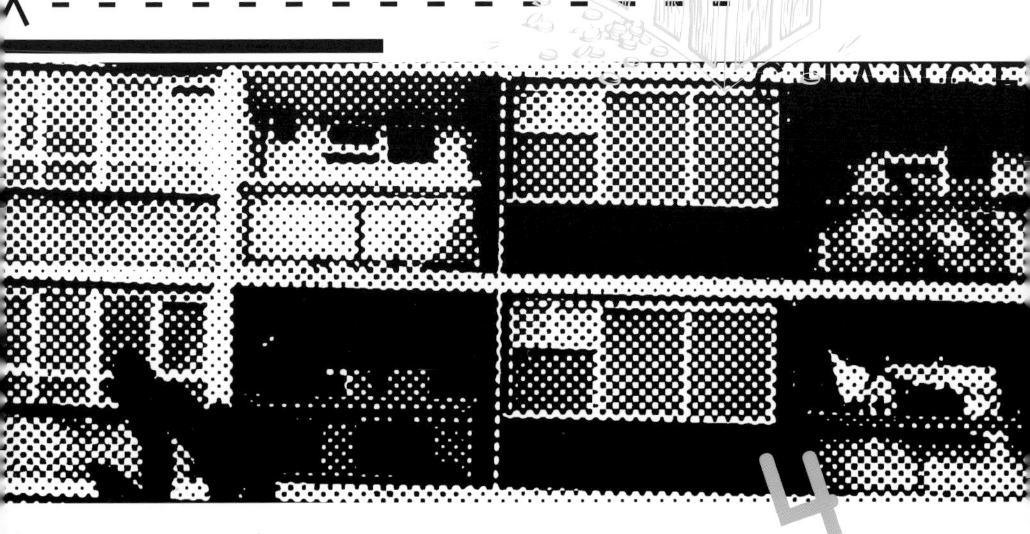

4

妈妈的奖励

上天给人类最大的奖励，就是给他一个母亲。

妈妈的奖励

很多妈妈很聪明，她们会精打细算，从买菜到买衣服，甚至是给小孩子的奖励，都会好好计算一下——如果从这个角度来看我妈，那比起很多的妈妈，我妈妈也许不是那么聪明。
因为她给我订的奖励标准总是很低。

我三岁的时候，正在疯狂练歌的情侣双人组，就是我爸跟我妈，突然发现他们的儿子竟然会用饼干盒，随着他们的歌声拍出节奏的时候，开始怀疑我也许可以帮他们打鼓……
“阿祥，你想不想练打鼓呀？”妈妈笑咪咪地问我。
有一秒钟的时间，我搞不太清楚这到底是好事还是坏事。
“如果你想学打鼓，那妈妈买一个鼓给你呀！”
我马上说好。因为我会因此得到一个鼓。
隔天我们果真手牵手去买鼓。虽然它不是新的，当时的我们连买二手鼓都很吃力，但它看起来还是很新。我每天敲，希望很多人知道，因为它是一个奖品。

有一天情侣双人组兴冲冲地跑回家问我："阿祥，你想不想表演给大家看？"

那是我接下来又陷入迟疑的一秒钟。

"如果你想上台表演，那妈妈就给你做表演用的新衣服。"

我说："那我要李小龙的衣服。"

那是爸妈接下的一场北中南巡演。那也是我人生的第一次登台，我人生的第一个巡演。我在舞台上表演打鼓，穿着李小龙的功夫装，虽然那只是一场婚礼流水席，可是大家把筷子跟碗放下来给我鼓掌——那也是我第一次知道掌声原来那么好听，他们说我是天才小鼓手，我不但得到我的功夫装奖品跟大家的赞美，还有一些大人给我红包耶！（但那些钱现在在哪里呀？真是罗生门。）

后来是我考虑了很久，才鼓起勇气跟我妈妈要的一个无敌铁金刚。那阵子好多小孩都有一个无敌铁金刚。

“好啊！你这次月考考350分，妈妈就买给你。”

我算过，也不是很难，一共是考四科，我每科要88分，就超过了——比较难的是，我实在是太想要无敌铁金刚了，因此禁不起任何闪失！

一不小心我就多考了49分，变成399分。

那应该是我有史以来考得最好的一次。(而且是一生中唯一一次！)

我们后来都因为长大而弄丢了爱过的玩具，但我永远也忘不了那个399分。

多年后当我回头想，我开始学鼓、开始表演，开始会订下一个目标去努力，很多的动机，都跟我妈妈的奖励有关。

我知道很多学音乐的小孩，或者是从小表演的艺人，在一开始总是很辛苦，虽然他们现在都很感激，但说起那些被训练的严厉过程，很少愿意再回去试一次的。

但我实在是想不起来任何血泪。我通常先想起来的是妈妈的奖励。当年我因为想要一个鼓、一套功夫装、一个无敌铁金刚，就完成了那些挑战——那些妈妈当时看起来好像不是太聪明，总是太轻易就送给我的那些奖励。
又或者她其实一直给我的，从来都不是一个奖励，而是一个将你轻轻托高的力量，我不自觉地踩上去，又开心又自然地，就又翻过了一个人生的高低栏……**原来妈妈的那些奖励，一点都不轻易，那是妈妈对我的细细观察，是妈妈的大智若愚，是妈妈对我的爱。**

那天当我终于又完成了一个新挑战——在台北小巨蛋，24小时内完成三场演唱会表演。
庆功宴结束后，妈妈把我拉到角落，塞给我一个东西。
那是一条我好喜欢的碎钻手链，我马上把它戴起来，虚荣地告诉好多人，这是我妈妈送给我的奖品耶！我炫耀着，时光好像又回到那年，那年，我三岁……

我知道我还会继续努力，去面对接下来很多很多新的挑战。
因为我一直拥有着，妈妈对我的爱。
因为我还想一直要，妈妈的奖品。

MR 2 SHOW

4

GOOD LUCK

CHANCES ARE IN ONE'S HANDS. SO BE IT.......

LESSON 5

掌心的选择权

好运的人，是因为他一直掌握着自己的好运。

掌心的选择权

妈妈的掌心又厚又粗。
从小，妈妈会比着她粗粗的掌心对我说：

“阿祥，这条叫做‘生命线’，是每个人生下来就有的。不管你是穷人还是富人，是男生还是女生，是健康还是有缺陷，是老天爷都会公平给每个人的嗅！”

妈妈的道理很深。
后来我才知道，妈妈说的是自己的生命线。是妈妈多年来一直鼓励自己的话。

妈妈8岁离家。更准确地说，妈妈在8岁那年被外婆赶出来。
其实妈妈8岁之前日子也不好过，她经常被打，可能是因为饭没煮好、菜没种好，原因很多……但妈妈想过最大的原因，可能因为她是众多男孩里的女孩，她每天都很担心家里会不要她，事实证明她其实还是白担心，因为那个担忧最后还是发生了……那也许还可以被当做某种苦日子的终结。

却也是另一场苦日子的开始。
我不知道你8岁的时候会做什么？大多数的孩子应该在跟爸妈要东西，甚至因为要不到而跟他们赌气，然后放声大哭……
我妈妈也哭。她总是在半夜没人的时候，才偷偷地从藏身的海边洞穴里跑出来，对着大海大哭。

“人家不要我，老天爷不一定不要我！”那是8岁的女孩最后抹干眼泪，在刺骨的海风中，对自己说的话。
而且她是真心相信的。
因为她发现自己天生就会游泳，那是老天爷给她的路。
白天她在海边捡废铁，潜到海里摘石花菜，经常忙了一天也只能拿去换一颗白馒头。她会慢慢地、一小口一小口地吃，因为那颗馒头就是她一整天的食物。

任何一个有这种经历的人，都应该很有理由学坏，但是妈妈没有；任何一个有这种遭遇的人，一不小心就会自暴自弃，但是我妈妈没有。

14岁，她遇见一个卖药团，他们需要会表演唱歌的人；她一边表演，一边进修，努力考上“歌星证”，这样警察来她才不用急着落跑。
20岁，她到基隆表演，遇见一个忠厚老实的男人，他对她很好。可是他只是个穷公务员，每个月薪水才4000块新台币。

任何一个穷怕了的人，应该会想挑一个有钱的男人，可是她没有。
她嫁给他。但是在答应他的求婚前，她一直没有忘记自己其实还有一个家。于是她终于回到阔别十几年的家，跟外婆说她要嫁给一个平地人（闽南人和客家人）。然后把自己存了多年的积蓄，交给外婆说：“这是我们结婚的聘金。”

接下来的故事，因为我也被制造出来，所以我也开始目睹了。
小时候家里经常有人来讨债，而且那些人超凶。
我大概知道那是妈妈很亲的人，偷用了她的身份证跟印章，开了很多支票。然后公司又突然倒闭了。
妈妈可以逃避的。或者像许多人因为这个教训，开始不相信人性，甚至憎恨这个世界，但是我妈妈都没有。
她只是怕爸爸担心，瞒着薪水只有4000块新台币的爸爸，跟那些债主协商，然后开始疯狂巡回接表演，一张支票、一张支票地慢慢把那些债务还清。

每条生命线上都有许多分岔，每个分岔就像人生的交岔口，我们都在那个交岔口面临选择——选择让自己变好或变坏、迎向阳光或走向黑暗，那经常只是一念之间，却总是非常关键的，决定了我们接下来要走的人生道路。

那就是妈妈每次指着掌心的生命线，会继续跟我说的话：
“阿祥，人生就是这样噢！不要走到生命线的分岔上面去，要记得一直走在最直、最深的那条在线；万一走岔了，也要记得在下一个路口，再走回来噢！”

每个人的生命线都不一样，所以面对的生命分岔点，也各不相同——但那也正是上天给我们的权利：你的人生道路要怎么走，要如何活得精彩、活得有意义，真正有选择权的人，其实是你自己。

多年来，当我又面对挑战与挫折，每当我又站在生命的分岔口上面临选择，我总会想起妈妈……我想起曾经有一个女孩，她总是那么热情地面对生命，正面地拥抱各种生命中迎面而来的遭遇，我就会变得更勇敢！即便现实再让人灰心难受，都还是做出“对”的决定。

因为那就是妈妈的生命线，那是妈妈身体力行在她的人生道路上，为我做的一场最真实的示范。

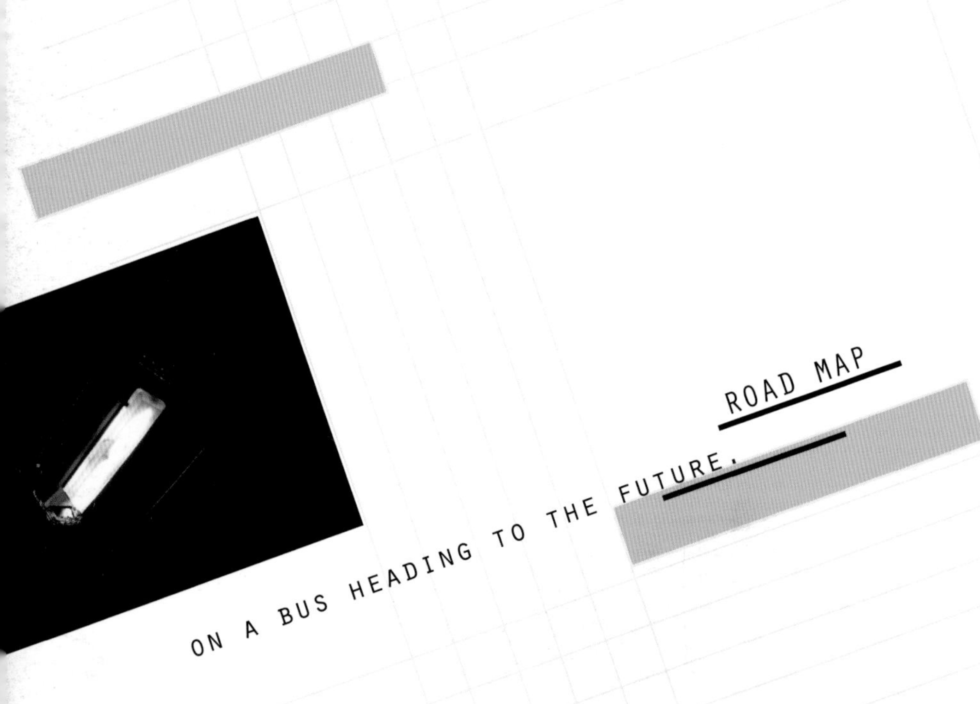

ROAD MAP
ON A BUS HEADING TO THE FUTURE.

五年后的“好朋友”

真正的好朋友并不是在一起有讲不完的话；
而是在一起就算不讲话也不会尴尬。

五年后的“好朋友”

那天我像一只兴奋的小老鼠那样跑回家，从门缝里看见家里应该没人，一溜烟地钻进门。

我对着浴室的镜子脱下我的上衣，一转头，看见自己的背，那么美丽……

那是一只老鹰，虽然我觉得我的朋友其实把它画得比较像一只鸡。但是没有关系，说好了，那是我们共同的印记！我们几个好朋友要把这只鹰，一起刺在我们的背上，那是我们的坚固友情，想到这里，我都感动得快哭了！

然后我就突然发现镜子里那只鹰的眼睛旁，又多了一双眼睛……而且它越睁越大，就在它真的眨了一下的时候，我发现那是我妈妈的眼睛。

“罗志祥！你完蛋了！你给我跑去刺青？！你竟然给我跑去刺青！”妈妈朝着我一阵乱打，我觉得她真的气疯了。

“妈！没有啦！还没啦！”我拼命躲，“是奇异笔画的啦！还没刺啦！”我一直叫、一直叫，边用手抹自己的背，直到那只老鹰真的飞离了我的背，妈妈才停下来。

“为什么要刺青？”妈妈好像气到头都晕了，坐在马桶上问我。

“就我们几个好朋友啊！因为快毕业了，一起刺了要做纪念。”我支支吾吾地说。那年我国三，跟所有国三的年轻人一样，绝对不相信我的爸妈会了解我们的友情。

ROTHERHOOD

RIENDSHIP
SHOW

“你知不知道刺青一旦刺上去，就永远涂不掉了？”妈妈问。

我点点头。

“阿祥，你答应妈妈一件事情，五年！如果五年后你认为要你刺青的这群‘好朋友’，还依然是你的‘好朋友’，你再跟妈妈商量，要不要为你的友情做记号，好不好？”

五年后，其实也不用五年，中学毕业后，大家就慢慢没联络，他们纷纷离开，就像那只飞离我的老鹰……

那个“五年为期”的好朋友的说法，却从此停留在我的心中。

五年很长，长到你们会一起经历许多考验，那些你没遇见就不会知道是什么样子的考验……我曾经有一次跟妈妈抱怨，说我的好朋友泄漏了我的秘密，没想到他会出卖我，还亏他是我的好朋友咧！我非常难过。

妈妈回答我：因为你的“好朋友”也有他的“好朋友”啊！

这回答让我哑口无言。

对哦！因为我认识这个“好朋友”也才一年多而已。

从此，对于来往中的好朋友，如果我心底有十件秘密，我最多只交出四件；也许那样他们也会比较没有负担。我不希望，某天当我被出卖，那种像被人从后面捅了一刀……你突然回头看，发现那个人原来不是敌人，而是你的朋友。那种心痛，真的比刀子捅的伤口还痛。

我们这一生会遇见很多人，如果你很幸运，还在那些人里面，又遇见了一些跟你很投缘、很有话聊的家伙，成为你“眼中的好朋友”——**当你一旦这么认定它的时候，请你再给那份感情五年的时间。**

五年后，如果那份交情经过风吹雨打，如果那个人依然在你身边没有离开，那请你一定要记得，把他从“眼中的好朋友”的文件夹，移到“心底的好朋友”的文件夹。
我现在的“心底的好朋友”文件夹里面，还真的有几个名字——上个月我们一起去日本工作拍照，他们插花跟我去玩。
我在新宿街头摆出很酷的表情，拍照的专业摄影师一直夸赞我说：“嗯！很棒！很帅！”就在我很得意的时候，他们几个人的声音马上接着喊过来：“吼！罗志祥，你在装什么酷啦！很好笑耶！”
我一下子笑出来……
也只有这种经过五年后的好朋友，才会这么说话吧！

五年好长，所以才珍惜；其实五年也很短，短到你回头看，才发现原来我们才认识五年吗？可是我怎么觉得，我们一起经历了好多好多，真要一件一件回想着说出来，都会笑到流眼泪咧……
也从来没有人会刻意记下来。

原来真正的好朋友，是一种集体记忆啊！你帮我记得、我帮你记得，也不用先讲好，就一起记录了那些点点滴滴。真正的好朋友，在标记对方的时候，总是自然而然，从来都不用具象的符号。
虽然，刺青在今天开始都成为时尚议题之一了。
虽然，还是一直会遇见一些新的人，跟你投缘、很有话聊……
也从没想过要刺青。
也从没想过要更改“五年后的好朋友”的决定。

SHOW

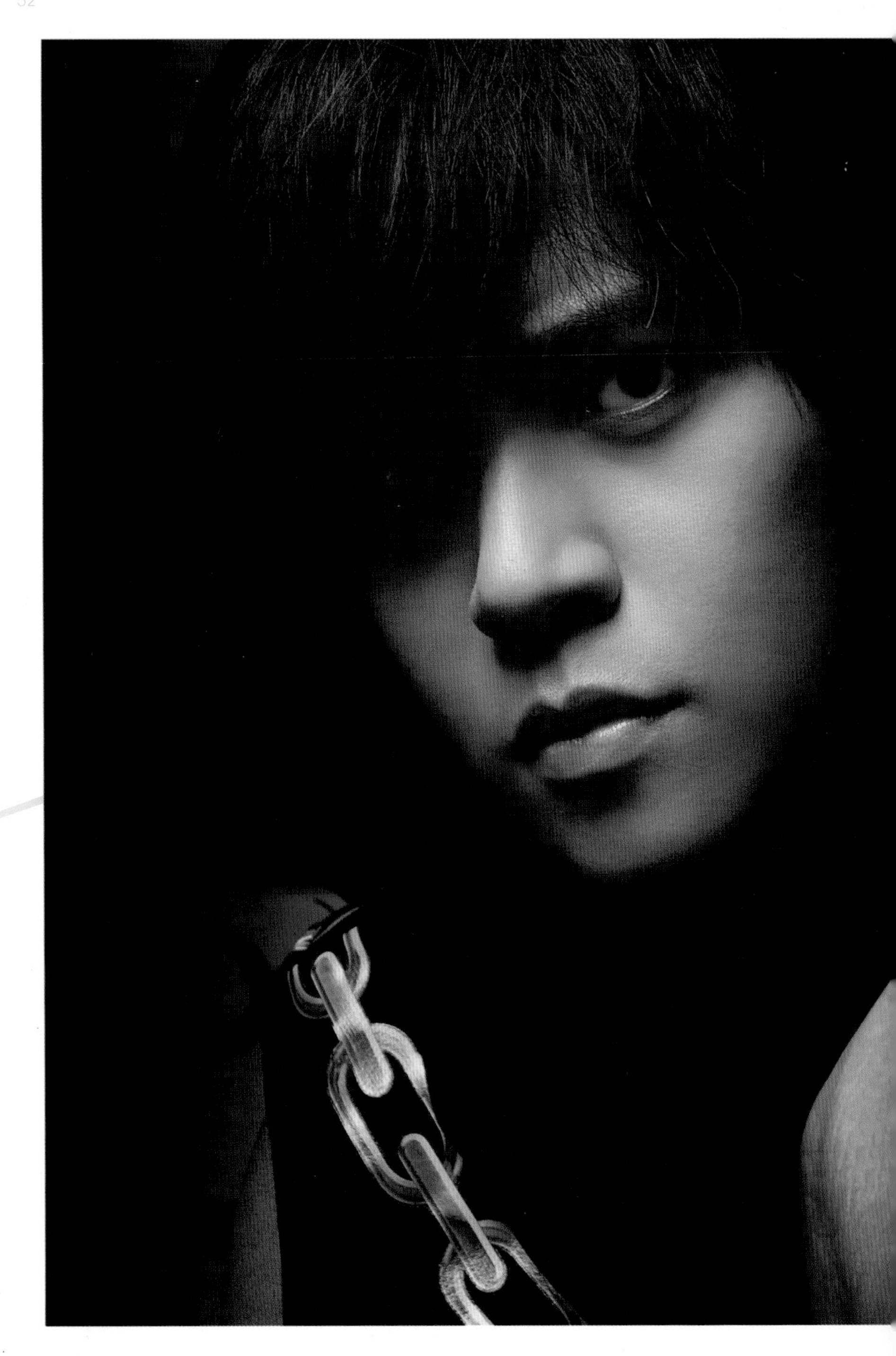

LESSON 7

黑道的世界很小

黑道的老大，却活在最小的世界里。

罗妈妈说：
别人可以看不起你；
但你不能看不起自己。

黑道的世界很小

就在我心痛地丢了我的摩托车的一年后……
我坐在快餐店靠窗的高脚椅上，正享受我最爱的薯条跟可乐，突然一口气上来噎到了……因为我看见一个人正要推走我的车——那辆我趁着妈妈打牌赢钱心情好，好不容易才又求到她给我买的新车。
我大喊着冲过去！那个人把车一丢，一溜烟不见了。
虽然距离很远，但我记住了他穿的制服。

我猜他在前面那间KTV上班。所以第二天我在KTV门口等他。
“我问你！昨天我把摩托车停在这里，你是不是想偷牵？！”终于见到他穿那件制服走出来，我马上问他。气死我了！我最恨人家偷车了。
“是又怎样？不是又怎样？你有证据啊！”他爱理不理地说。
还没等他讲完，我就把他推倒，两个人扭打成一团，我赢。

第二天学校放学，我正要回家，都还没走到校门口，就看见他带了两个人等在路那头堵我，我没跑，根本来不及跑啊！他人多，但我还是打赢。
最后的结果是，我们几个人都坐在训导处里。
训导主任要我们打电话叫爸妈来。

六月的酷暑，训导处的电扇吹来的都是烫风，我回主任说：“噢！”却只能汗如雨下……

因为爸爸刚住院了，妈妈最近都在医院守着他。

我突然觉得自己很糟糕，我做错事了！但是他……天知道我多爱那辆车，我只是想把那辆车找回来而已。

后来是堂哥来学校的。他是我在这个星球上，唯一想到，遇见这种事情绝对不会生气的人。

因为他是货真价实的黑道。

堂哥穿得好整齐来了，一直跟主任说：“不好意思！不好意思！他平常都很乖，不知道怎么会这样！阿～我带回去电一电（调教一下）就好了！”

我跟在堂哥后面走着，头很低很低。我们不常见面，今天找他来我也很不好意思。

我打算一走到校门口，就跟他说谢谢。然后我要快点去医院看爸爸。

“等一下！”堂哥突然喊住我。我一回头，才发现他真正要喊的是那群跟我们一起从训导处被放出来的家伙。

“你给我过来！过来啦！”那几个人对着堂哥比了比自己，“嘿啦！过来啦！”堂哥像一只狮子那样吼出来！在他突然吼出来的时候，我也吓了一跳！

“你们很行，是不是？！敢欺负我堂弟，是不是？！”他们只是轻轻地摇头，就在堂哥“哈！”一声的时候，我看见其中一个家伙好像突然脚软了一下。

他们会这么害怕，除了因为堂哥真的很凶，那是很专业的凶狠，还有，因为校门口出现了比他们更多个堂哥找来的人。
堂哥要我抽他耳光，我愣了一下……最后轻轻拍了他的脸颊一下。“喂——你这个意思是？”堂哥突然看着我问。我没办法，马上很用力地又补了一下。

那个在医院陪爸爸跟妈妈的晚上，我忍不住跟妈妈说了今天学校发生的事，我考虑了很久，终于还是说了。
我的直觉告诉我，如果后来才被我妈发现这件事情，事情才是真的糟糕。
妈妈把我的耳朵像猪耳朵那样，从椅子提起来……我踮着脚尖说：“啊～妈妈，我知道了，好了啦！妈妈，我以后不敢了。”
看过堂哥那个阵仗以后，我是真的不敢了。

当时妈妈在“猪耳朵”旁说的话，也的确很有道理。
“为什么人家说‘歹路不可行’？因为当你走上那条路，进入黑道的世界，黑道的世界有多小，你知道吗？！里面的人都在寻找仇人报仇，大家找来找去、杀来杀去……你多会躲？！又能多狠？！全世界最狠的黑道老大，都有一个人落单的时候。那个时候只要几个小弟就可以把他杀死！”

我相信。也真的看见了。
我希望我那个巴掌还好，但它真的很大！我只能祈祷那个巴掌可以大到让一个人失忆……

暑假来了，我依照往例，跟妈妈回去花莲寿丰看外公跟外婆。
“尹娃，好久不见了啊！”一个也是回花莲老家的远房亲戚，热情地叫着我妈妈以前表演用的艺名。“啊呦！这是阿祥吗？都长这么大了啊！”那个亲戚拉着我的手，转头往后面喊：“阿义啊！过来，你看谁也回来了，是阿祥！你们以前小时候回来花莲，都会一起玩的阿祥啦！”
远远地，我看见一条人影，很乖巧地跑过来……我没有花很多时间就认出来，就是那个家伙，那个我们冤冤相报，最后用一个大耳光结束的家伙！
远远地……我想起小时候连续好几个暑假，我们纷纷回花莲，然后一起爬树、游泳。在一个暑假跟一个暑假的夹缝里，我还怀念过他，怀念过那些出太阳跟在山林间的日子；然后下一个暑假就又来了，直到他在某个夏天开始缺席，直到我跟我的童年、还有他，同时失去联系……
“Hi！”我们在阳光下同时跟彼此打招呼。
那不是我们多年后的第一次相遇。

我有很多话想跟他说，我想我会先跟他说对不起，因为用暴力真的无法解决事情，我真的非常后悔跟抱歉……但我还是很想问他：“你为什么要偷车啊？”我想我会好好跟他说，就拿我妈的话跟他说，要他好好做人，歹路不可行……很多很多的话想说……

却都先化成心底简单一句：
“这世界还真是小啊！”

罗妈妈说：
人生最聪明的投资就是：舍“一”得万。

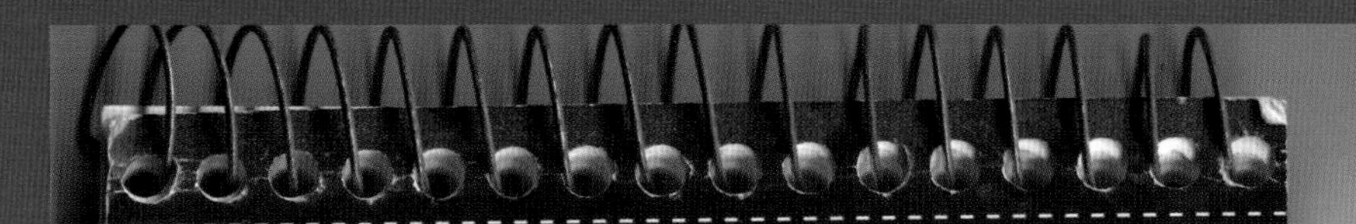

LESSON 8

白蝴蝶

真正的好朋友，是当你终于走过风雨，
突然发现他正站在你身边。

{butter}

白蝴蝶

那是“视频事件”后的第三天。
我如常工作。
回家后，我就像关掉常开的电视机那样关掉自己。在黑暗中，在黑掉的电视屏幕里，看着反射的自己，好久好久……
除了每天例行跟妈妈报平安的电话。
没有跟任何朋友联络。

又要跟他们说什么呢？
多年来我好像比较习惯制造欢乐，连朋友都是……每个深夜，当我又接到朋友吐露心事的电话，我撑着疲倦的眼皮听着，因为我知道他们需要有个人听，那我听，因为你是我的朋友，我习惯了……习惯到突然发现自己好像失去诉苦的能力了。

门铃响了，几个朋友竟然就直接出现在大楼对讲机前面。
“吼！电话也不接！”“出去走走啦！”一见到我，二话不说就把我拉了出去。
车子在台北街头慢慢走着，这不是一个交通顺畅的夜晚，我的视线从之前的电视屏幕移到此刻的窗玻璃，这几天不断在我眼前回放的画面又冒出来：

周刊出刊的那个傍晚，我有一场校园演唱会演出，我在台上跟大家说：“大家要珍惜现在哦，因为当学生真好，都可以正常谈恋爱。”台下许多人挥舞着荧光棒，以为那只是我出场时开

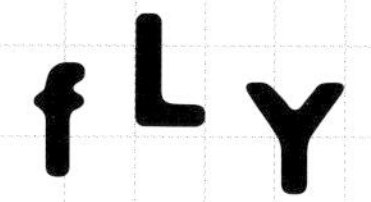

的一个玩笑——那的确是**我用“自嘲”的方式，去勇敢面对。没有人知道，那其实也是我的心痛，还有我的真心怀念，怀念爱情曾经可以那么纯粹又单纯的年代。**
第二天，我在《娱乐百分百》上承认网络交友，跟妈妈、同事们道歉，因为我让他们担心了……我知道只有勇于面对，才能遏止那些捕风捉影的谣言；更为了要终止那些后续更离谱的报道，我选择不多做解释，全部一肩扛下，我知道时间会给我交代，一切都会终于明朗，但为什么我的心情却陷入一片黑……

妈妈说过的道理，“当生命线走到分岔路，选择权就在自己的掌心”——但是，亲爱的妈妈，当我发现自己正在一片黑暗里，又怎么知道，哪一个选择，才是对的道路呢？

我们的车子最后停在华纳威秀旁边，电影刚散场，人好多，换作以前我也会很开心地走在里面吧！
“走吧！去看电影。这部电影大家都说超酷的！”朋友转过头来对我说。

我说我不要下车，让我在这里看看就好了。隔着车窗，看着路上一张张陌生的脸，那么遥远又那么接近，那种突然又害怕、又安心的心情……就像一个害怕受伤的小孩，他没有违反世俗规范，可是，为什么他做了男孩们都会做的事情，却会受到那么大的伤呢？

而那个伤，那场阴霾，小孩又要花多少时间才能走出来呢？

几天后，我如期去澳门开演唱会。中间有一个空档，我跟朋友在饭店休息。
“你们怎么都没下楼去逛街啊！听说楼下有很多店可以逛耶！”我问他们。
“不用啊！什么都不缺，没什么好逛的啦！”这不像平常的他们。

我一下子懂了。
原来他们怕我心情不好，都故意留下来陪我。
“那陪我下去走走吧！”我说。我不希望他们白来这趟，出来玩不就是该到处看看吗？
“不用了啦！你休息啦！明天还要演出。”都猛摇头说不。我知道他们不要我到楼下去面对那些也许会充满异样的眼光。

于是我假装不在乎，“吼！走啦！去逛逛啦！都来澳门了，楼下的百货公司很漂亮哦！”我一下子大步走出房间。
从几十楼下降的电梯好快……快到我来不及整理我的心情，我知道等一下电梯的门一开，一定会有许多人认出我，我不知道我即将看见什么？但不管我看见什么，我知道我都一定可以撑过去……

门一开，我跨出去，饭店广场的人比我想象的还多很多。
“小猪耶！”开始有人叫出我的名字。
“小猪，加油！”不知道是谁先开始的，那样的声音逐渐像回声一样蔓延开来，我听到了！原来有好多人在替我加油！我抬起头，就像在黑暗的朦胧中看见了光，我笑了笑，很想说声“谢谢”还是什么的……

却在下一秒，突然感觉朋友拍了拍我的肩："好了、好了，没事了。我们去逛街！"

****

我打开报纸，看见一则CNN的报道："在智利的矿坑灾变中，一名矿工才刚进入矿场，一大块岩石便在他后方坍落，他突然看见前方有只白色的蝴蝶在飞舞，他因为那只白蝴蝶的指引，在黑暗中绕过落石区，最后在避难室里遇到另外31名矿工……"

今天是"视频事件"后的第五百多天。
时间证明，当时的许多谣传跟报道都是错误的。

但我相信"白蝴蝶"的故事。
因为当我在生命的黑暗中，在那个深黑的沮丧里，我想我真的见过"白蝴蝶"，他们就那么翩翩而来……在黑暗中，在我生命的分岔路口，引领我重新又找到了光的方向跟出口——原来妈妈口中所说的"掌心的选择权"，那个选择的决定也许来自于自己，但更多时候，却是来自于"白蝴蝶"的引领……

那你有没有看见你的"白蝴蝶"？那些在生命的旅途中，当黑暗降临，无须召唤，就马上飞来你身边的"白蝴蝶"？！
就像我一样幸运。
有那些朋友，还有一大群一直陪伴我的歌迷。

谢谢你们。
我的"白蝴蝶"。

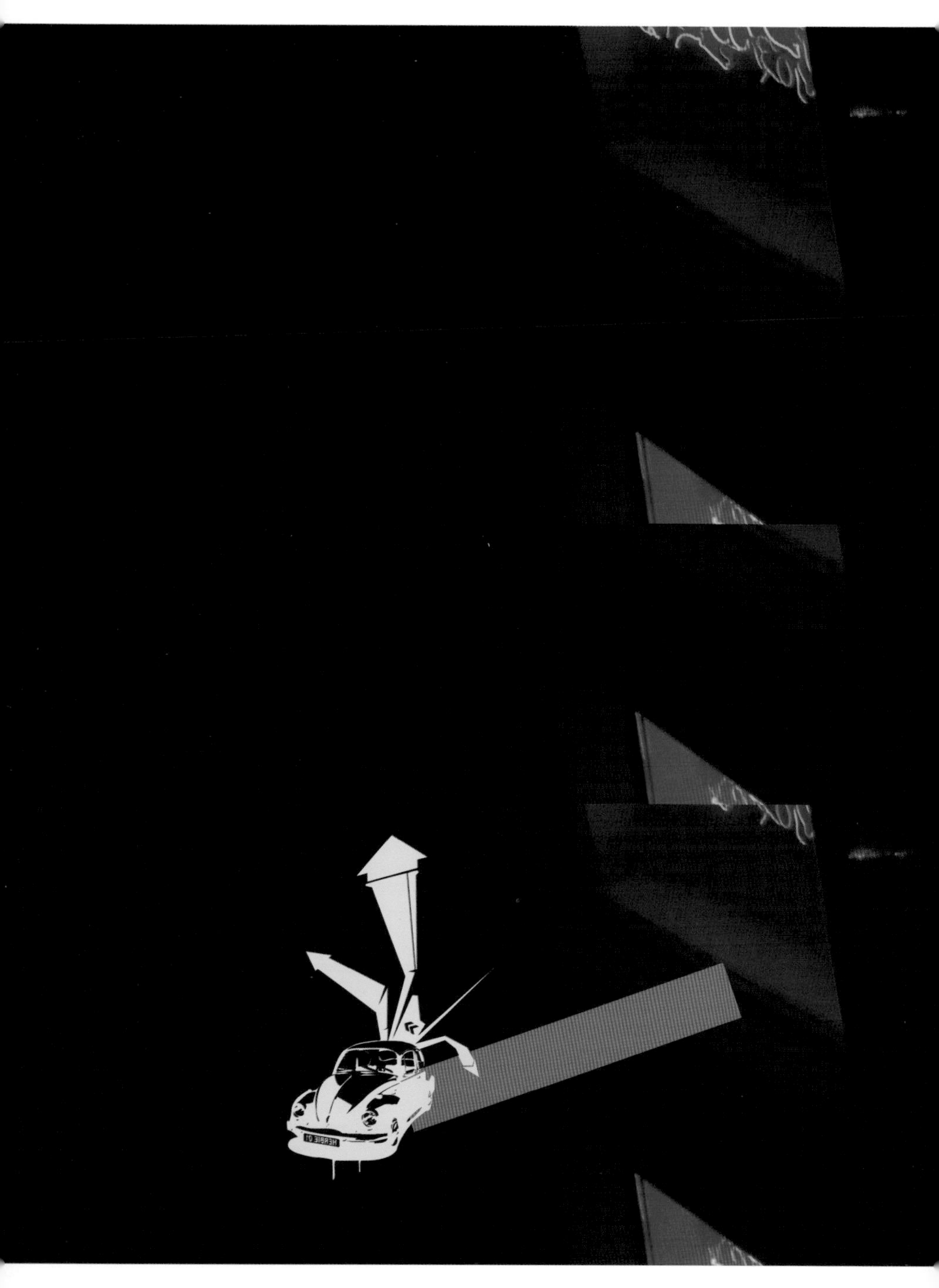

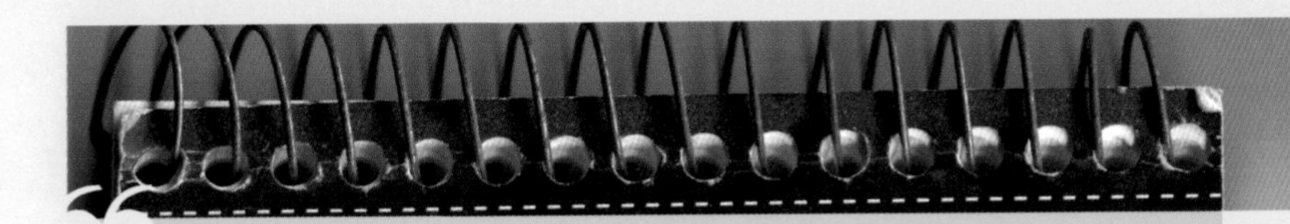

LESSON 9

天上不会掉下孝顺的小孩

孝顺不用表扬，因为孝顺是每个人本来就应该做的事。

天上不会
掉下孝顺的小孩

有很多人问我为什么会那么孝顺?
就好像也有很多人问过我妈:“你是怎么把小孩教得那么孝顺的啊?”一样难回答。
被问的人还会愣一下,“是哦!我这样算很孝顺哦!”“欸,我是怎么教他的啊?”然后各自陷入一阵迷雾中……

我只知道妈妈很孝顺。当她在20岁那年又跟外婆重逢,她马上就又开始帮忙负担家计。我问过她:“妈妈,你都不会怪外婆吗?”妈妈摇摇头说那些都过去了。

可是妈妈说她很怀念外公,那是外公在她8岁前给过她的好日子。长年讨海的外公,每隔一阵子才会上岸回家,然后他就会牵着她的手,到海边去散步,会买糖给她吃。讨海人不能让女生上船的禁忌,外公也不管,她知道那就是一个父亲对女儿从不明说的爱……那份爱的记忆,让她温暖了很多很多年,是她一辈子都不会忘记的。
也因为那份没有父母在身边照顾的遗憾,让妈妈在我出生后,不管日子再苦、再累,她都坚持一定要把我带在身边教养。
她要给我全部的爱——但也因此妈妈对我的管教,跟她想给我的爱一样,是从不打折扣的。

“你再给我乱来试试看？看我等一下怎么修理你！”我们常看到许多父母这样警告自己正在撒野的小孩。我每次看到都会很想笑。因为通常是那个小孩会继续闹，然后父母就继续放狠话，最后就不了了之。那个父母口中的“等一下”一定不会发生，因为父母很忙、很累，然后就忘记了……

我妈口中的“等一下”却一定都是真的。
她是我在这个世界第一个认识最“说到做到”的人。
没有假期、没有通融，除非地球毁灭，否则我只要犯错，妈妈是不管再忙、再累都一定会跟我算账的人。
小时候有一次我偷开了妈妈的抽屉，里面有个小盒子，我很好奇她那个盒子里到底装了什么，妈妈明明跟我说过不可以动她那个盒子的。
直到现在我还是不知道妈妈是如何发现的。总之那天晚上当妈妈工作回来，她就把我叫到房间，她当然没有真的画，但我就好像看见她的额头上有个月牙印，空气里好像有人喊：“威武~”那就是女包公要开堂审案的时候了……
“祥祥，妈妈问你，你有没有开妈妈的盒子？”
“我……没有。”我的眼神心虚地躲开月牙印射出的青光。
“好，你跟妈妈说你是用哪根手指开的盒子，我就只打哪只，如果你不说，我就每只都打！”我一看见妈妈的棍子就哭了！边哭，边伸出了我的右手食指……
那是我幼年时期的一个回忆，是我在成长过程中陆续学会的点点滴滴，那些我后来回想总是充满佩服，我的妈妈从来不曾偷懒，永远充满耐心地用那么直接的方式，告诉我这个世界，我看见的、我动作的，每一个我应该要学会的道理。

前阵子我跟妈妈到亲戚家作客。亲戚的小孩实在很皮，一直把饼干塞进大家喝的茶壶里，他做得兴致勃勃，那不是鬼月，明明就在眼前，父母却完全视若无睹……

“啊他这样你们都不处理哦？！”妈妈突然说出来，我仿佛又看见那久违多年的月牙印了。

“讲了几百次了，啊讲了也没用啊！”那对父母耸耸肩说。

女包公脸上的青光瞬间熄灭，她知道她无法开堂。就好像她总是说，为什么现代的父母，都要靠老师教，**老师能教的只是知识，而真正生活里的伦理道德，那些最基本却最重要的东西，也只有真正生活在一起的父母，才能身教跟言教的。**

“不知道这个小孩长大以后会不会孝顺？”这是那对父母那天在喝茶的时候突然说的话。

我们当然也不知道。

但那个问题听起来，很像那是一个二十年后才会开的奖，就像大乐透，好运的人会中；没中的，也只能摸摸鼻子自认倒霉。

大乐透没中可以下次再买，但教育小孩这件事，有幸运重来的机会吗？

那天我跟妈妈一起去日本旅行，飞机上的空姐跟我们打招呼，她好像跟我妈妈很投缘，到后来索性蹲下来跟妈妈聊天，我竟然好像听见她又问了一句：“罗妈妈，你是怎么教小孩的啦！可以把小孩教得那么孝顺？”

我不用看妈妈的表情，就知道她心里的OS，她一定又在一团迷雾里了……

我很想替她回答，妈妈从来没有跟我说过任何要孝顺的道理，孝顺的道理几乎在每一本生活与伦理的教科书里面也都可以找到——但正如考高分的小孩不一定就孝顺的道理一样，“孝顺”真的很难研读或者传授。

我不知道自己究竟算不算很孝顺？但我想那不是重点。**如果你认为我是孝顺的小孩，又一定要我说出一个方法，我回想起来都是妈妈的陪伴，在那些用心教育我的点点滴滴里，也许产生了某些微妙的化学作用，**至于它们是如何发生、又何时发生呢？
飞机的电视屏幕显示着我们的高度正在3万英尺（注：1英尺=0.33米），机长说再过20分钟我们就要开始降落……我却想着在那么高的天空，会掉下来雨、冰雹、彗星，甚至是外星人的飞碟，却从来不会凭空掉下来一个孝顺的小孩。
我想那应该就是我的答案。

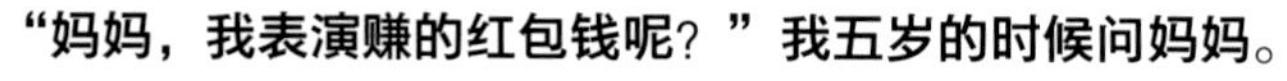

“妈妈，我表演赚的红包钱呢？”我五岁的时候问妈妈。

“妈妈先帮你收起来。”妈妈说。

“妈妈，我的钱呢？”我十岁的时候问妈妈。

“妈妈帮你存到银行里了啊！”妈妈说。

“妈妈，我的钱现在呢？”我二十岁的时候问妈妈。

“噢！妈妈最近手气不好，打牌输掉了。不过都是输给自己人哦！”

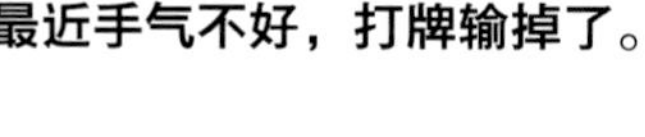

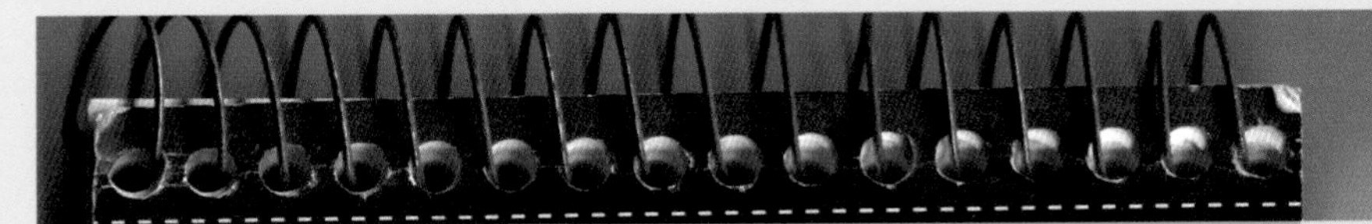

LESSON 10

要一直往前走噢

擦掉眼泪，继续往前，逃避只会让痛苦更扩大。

The front and back of the Chéape poster for SSUR, a New York store owned by Russell Kalabin, with whom Lyons is a frequent artistic collaborator.

要一直往前走噢

十几年前，那是爸爸第一次因为急性肝炎而被紧急送进医院，我急忙冲到医院，我紧张得快疯了！
只看见妈妈坐在加护病房外面。
那是我第一次看见妈妈那么苍白的脸。

“阿祥！”妈妈一叫我，我就哭了。
我从来没有想过，我们三个人有一天会变成这样。
妈妈说爸爸的状况很危急，刚才医院还要她签一个病危通知书，医生跟她说情况很不乐观。
那是我第一次想到，我有可能会失去爸爸。
我还想到那些从小到大、我们三个人相依为命的日子，我们日子过得也许不好，可是我们很快乐，我们的房子很小，可是里面总是充满笑声。我很黏他们，只能放下一张大床的屋子，我就睡在他们中间，一直睡到中学三年级……睡觉的时候，他们一人牵我一只手——那个牵手的画面一直延续着，带我们到过好多地方，那是换成妈妈站在我们中间，左边是我、右边是爸爸，我们手牵手去表演、卖艺；那是我们吃不好、穿不好、住不好，却是我们都好快乐的好日子……

我跟妈妈抱着一起哭，我不知道我们哭了多久，我觉得自己很渺小、很无力，因为我好像快要没爸爸了……

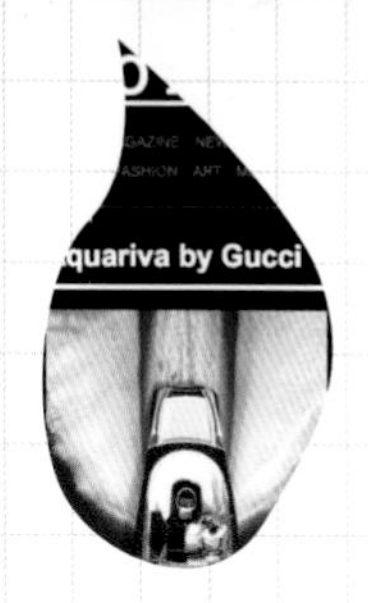

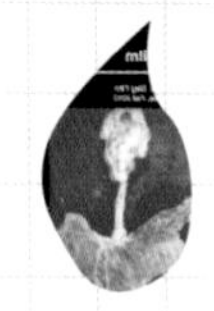
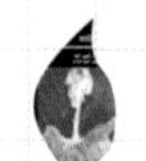
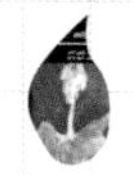

然后妈妈就站起来。

“阿祥！也许以后妈妈的手，就只能牵你的手了。”妈妈说完，突然很用力地把眼泪抹干。然后牵着我的手，往加护病房正在打开的大门走。

那应该是我这辈子走过最长的路。简单十几步，却好像有一辈子那么长。我每走一步，就觉得自己又长大几岁，就像绿巨人浩克那样变大、又更大——那是从我左手传来的力量，那是来自妈妈的手，是的！就算人生有再大的剧变，我们都还是要持续往前走！不管你要流多少眼泪、会多伤心，我们都还是要持续往前走。

妈妈，我当时没说的。在那生死关头的一刻，你的阿祥就跟自己说：妈妈，我长大了！如果爸爸不在了，阿祥会把你的两只手都牵起来，你不要怕！阿祥会照顾你的。

十一年后，我真的失去我的爸爸。

这次爸爸没撑过去，虽然距离上次的病危已经十一年，虽然，上天又让我们多过了十一年三个人手牵手的好日子。

可是我永远失去的那双手的主人，其实也才51岁而已。

我永远无法形容的痛跟伤心。

我跟妈妈一样抱着。

地点是在爸爸的灵堂。

我跪谢了所有来荣耀跟送别我爸爸的亲友，那是人去楼空……

那是这条路上只剩下我跟妈妈的两人空间。
我们像多年前那样抱着，一样好久好久……这阵子我们交换的眼泪很多、故事很多，那是我们一起对一个伟大的丈夫跟父亲的怀念。
“妈妈！”我突然叫她，然后站起来，用力抹干我的眼泪。
“你准备好了吗？”我很努力不让自己的声音哽咽。
妈妈愣了一下，我知道妈妈一定会懂我的意思——妈妈，你准备好我们要一起继续往下走了吗？
因为那就是你多年前教会我的。

不管人生有再大的剧变……不管你要流多少眼泪、会多伤心，我们都还是要努力加油往前走噢！
我看见妈妈点点头。
然后我伸出手，就像十一年前她曾经对我伸出的手，牵起她，一起往外面的阳光走过去。在跨过灵堂大门的时候我突然想转头，一转头就看见爸爸那张微笑的照片……
那一刻。
亲爱的爸爸，那一刻就是你光荣一生的结束；但是你永远在我心底的一切，才正要开始……
要一起努力往前走噢！

Keep faith

Keep walking

Keep faith

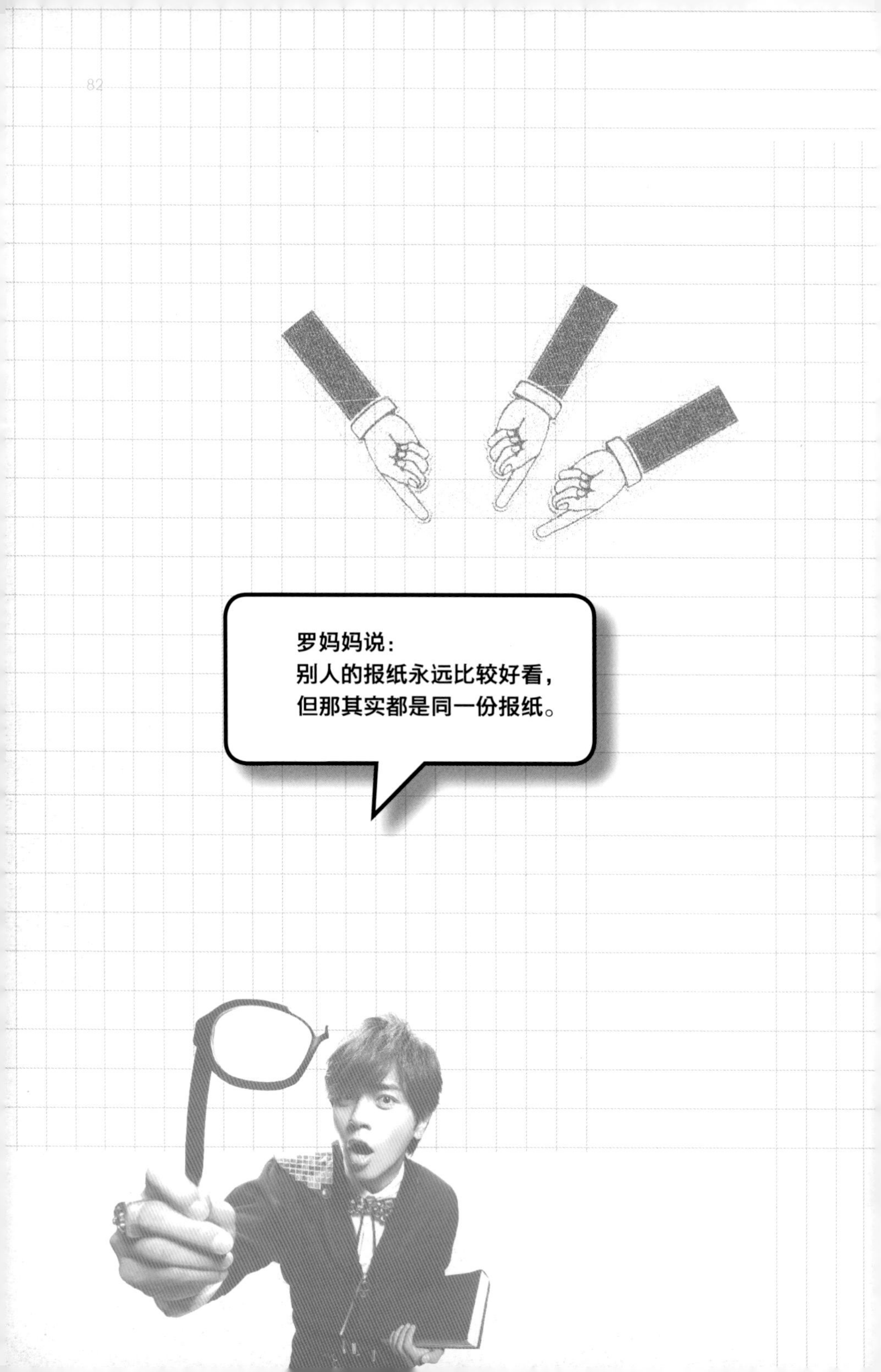
罗妈妈说：
别人的报纸永远比较好看，
但那其实都是同一份报纸。

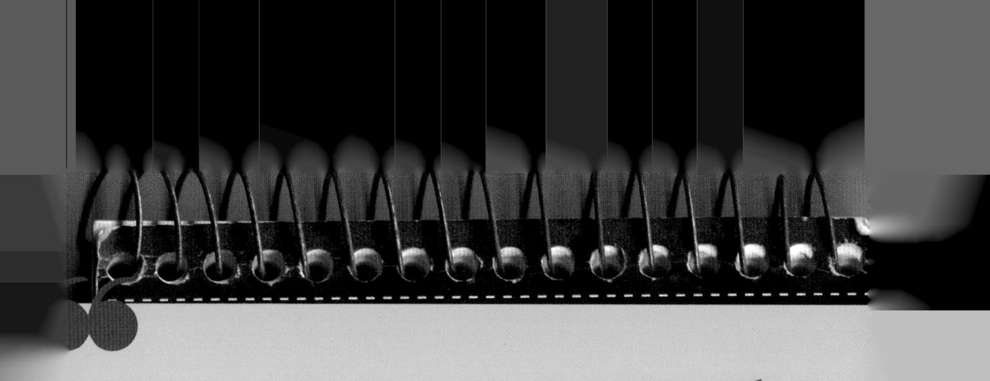

LESSON 11

玩是工作的一部分

用打线上游戏的心态，挑战工作的关卡。

玩是
工作的一部分

哈！我妈应该是我认识的第一个少女偶像歌手。
每次我们出外表演的时候，她就会提醒兼恐吓我不准喊她妈，要喊她“阿姨”！我有时候会忘记，又不小心喊她“妈”！她就会像看一个外星人那样看着我，好像我正发出了一句她听不懂的外星语。
而当我真的照做的时候，她就会大声响应我：“诶！什么事？”然后像一个少女那样笑得很开心。
所以我妈的少女时期很长。

我妈，噢，不！是我“阿姨”，她会在台上表演完的时候，用少女的笑容跟台下的观众说：“谢谢大家，那我先走了噢！”，然后她就会真的先走了(第一次我还纳闷，她要先走去哪里？后来才知道，那代表她真的跟我们没有任何关系)。
等我跟爸爸后来表演完走出表演场地，她会从路上突然跳出来，笑眯眯地对着我爸说：“我们今天要去哪里玩？”
那是“阿姨”笑得最少女的时候。

然后我们就会真的去玩。
其实我们所谓的玩，也许只是去附近找找亲友、去附近的景点走走、逛逛夜市，更经常的时候我们只是找间看起来很好吃的

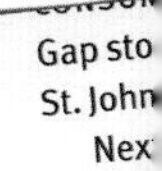

路边摊，情侣们喝酒、我喝汽水，三个人好好吃一顿。
那些我现在想起来都还会微笑的日子。
不管那个工作多远、多累，最后只要经过“阿姨”的笑脸，都变成玩的日子。

后来当我的阿姨开始小腹微凸，到变成一个游泳圈，她终于忍痛跟她的少女偶像身份挥别，我开始可以喊她妈，但她最后用少女笑容问我爸的习惯始终没有改变……
那个习惯更被我延续到今天。
玩一定要是工作的一部分哦！

不管那个工作有多难，会有多累，都一定会先想到它好玩的部分的习惯，那种“每天都在玩”的雀跃——这次又要飞去哪里？会看见哪些景色？会遇见哪些人、哪些久违的朋友跟歌迷？又会发生什么事？我总是睁大眼睛，对即将前往的地方，充满兴趣跟期待。
不然我前阵子也不会跟经纪人小霜埋怨，因为马来西亚的一个活动场地改了。那样我就看不见双子星大楼了啦！
印象很深的一次，我们在天津，隔天清晨要飞广州，因为广州有2009年“SFC国际歌迷会”的活动，那里有我久违的两千个老婆跟兄弟在等我……我们不安地在天津等消息，因为整个北方起大雾，隔天的班机很可能会不飞。我突然决定——我们先飞车到北京，再连夜从北京搭火车去上海，再从上海搭飞机到广州！

work hard, hard work

我永远不会忘记末班火车要开的前十分钟，我们几个人还在好大的北京火车站跑着，像逃难一样！后面跟着一群因为我们临时改变行程，而一路跟着我们冲来火车站的歌迷，他们连放在饭店的行李都还来不及拿……我们大口呼吸，心脏都跳到喉咙了！像找不到哈利波特9又3/4的月台那样惊狂，终于我们跳上车，好像吸着最后一口气那样，挤进了我们的卧铺包厢……

那个突如其来的旅程就那样展开。

在火车疾驶的十个小时里，我几乎舍不得睡，我从来没想过可以在内地搭火车，我在黑夜中睁着眼睛，边看着窗外的星光跟灯火，“原来在内地搭火车的感觉就是这样啊！”“如果不是因为这趟工作，也不会有这么特别的遭遇吧！”

今天下午我刚在天津做完一场演出，明天清晨我会先到上海，然后再搭飞机到广州去见我的SFC歌迷会歌迷，然后我要再赶晚班飞机回台北，因为隔天清晨我要搭高铁去高雄，那里有一场广告代言的活动——这是小霜跟我说过这几天的行程。

不知道广州今年又会多来哪些人呢？他们说今年办活动的场地，旁边就是一个大动物园，还说饭店的中庭里就可以看见白老虎耶！那高雄咧……

而明天的事情谁会知道呢?
于是明天才因此让人期待吧!
唯一不变的是:
玩一定要是工作的一部分噢!

我边想着，边在火车上洗脸、刷牙……其实在刷牙前，我趁着经纪人小霜熟睡的时候，还偷吃了一碗热腾腾的泡面……这真是丰富的一天，我躺在卧铺上，听着火车在铁轨上规律地晃动着，还有包厢里同事的打呼声，终于忍不住睡着了……

罗妈妈说：
人可以有一千个原因失败；
但不能有半个失败的借口。

LESSON 12

别再怕草鞋

勇敢面对，才是真男人。

别再怕草鞋

报纸登来那天，我都不敢打电话回家。

所以当我看到手机屏幕显示“妈妈来电中”的时候，心脏都要跳出来了！

“妈妈！”我闭着眼睛，等着被骂。

“吃过饭了没？”妈妈问，然后跟我讲了一些话，完全没有提到那件事情。

“妈妈，你今天还没看报纸噢？”我忍不住问了，因为这样憋着实在很难受。

“看了啊！还不止报纸咧！连电视都看了。”

“噢！妈妈，我从此不止‘跳舞’很厉害，现在大家会觉得我的‘计算机’也很厉害了。”那是我刚才一个死党打电话来亏笑话我时说的话——我知道他想让我开心点，但其实我心情糟透了！我不知道一个单纯的网络交友，会闹出这么大的新闻。

“妈妈……”我很想说点什么安慰她，我相信她的心情一定跟我一样难过，我很努力，还是只说出这句：“我再也不要跟陌生人交朋友了。”那真的是我很沮丧、很沮丧的真心话。

“你阿呆噢！”

我觉得妈妈骂我骂得真好，整件事情我真的很阿呆，我还曾以为那是一份纯纯的爱。

“妈妈的意思是，嗯，妈妈这样问你好了，你开车有没有A到过？”

我说：“有啊！”

“那你会不会因为这样，就从此不敢开车？”

我说不会。但下次会小心点。

“那就对啦！阿祥，你又没结婚，也没跟谁交往，你没有对不起那个爱你的人，那你就不要因为这样就对感情没信心，不要相信什么‘一朝被蛇咬，十年怕草鞋’！”妈妈说得义愤填膺，我也没纠正她，但听到她把“草绳”说成“草鞋”的时候，我还是笑惨了！

谢谢妈妈。

一个人在那个时候，还有妈妈的支持，就像你在很累很饿的时候，竟然还可以吃到一碗妈妈做的卤肉饭，真的好幸福噢！

我突然想起几年前去见白龙王。那天我还真的很饿、很累，因为实在是太早起了，我终于见到他，白龙王很慈祥，一见到我就摸摸我的头说：“以后就要像这样摸摸它！”我抬头看了一下白龙王，他继续说：

“很多人遇到‘挫折’，就会想逃跑；或者是拼命忘记它，假装它根本没发生。你要学会摸摸它，不要害怕它，因为只有好好摸过‘挫折’的人，才会越来越棒！”

我们都渴望生命中只要遇到惊喜，越多越好！当我们遇见一个惊喜的时候，就马上又期待下一个惊喜赶快到来。我们却很难真正面对挫折，因为我们害怕挫折，所以当我们一遇见挫折的时候，就开始怀疑——怀疑自己的运气很差？怀疑自己的能力是不是不够？我们经常忘记，每个挫折经常就是下一个成功前的准备。就像我们总是要经过一些小摩擦、甚至小车祸，才真正可以轻松自在地开车一样。

没想到当时白龙王跟我说的道理，又再一次经过妈妈的嘴巴，跟我说了一次。
我想我还真是受了伤。
也不知道需要多久的时间才会复元。
但这次我会好好摸摸那个伤口……
相信那就是寻找一份真爱的过程与代价。
相信我的“草鞋”，就在不远的前方。

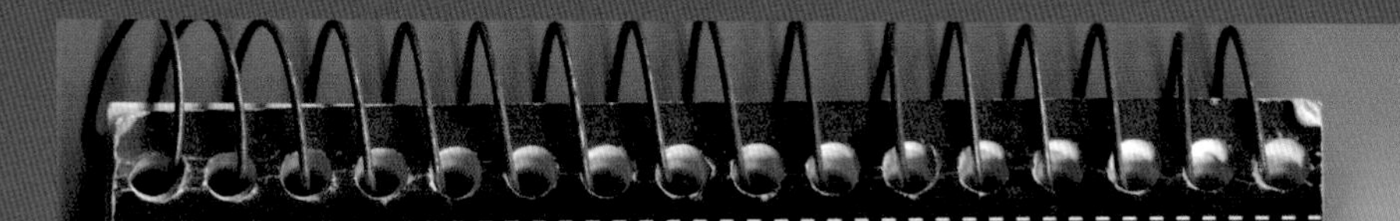

LESSON 13

娘子汉大丈夫

"娘"了以后还能Man回来，才是真男人！

babe

娘子汉大丈夫

“男人不可以让女人骑在头上哦！”这是妈妈从小就跟我说的话。
但我从来不相信。
因为妈妈明明是站在爸爸的头顶上，说那句话的，哈哈！

那几乎就是罗家的家规了——女人是拿来疼的！我耳濡目染了二十几年，也很难不在那个大染缸里同流合污吧！
在罗家骂不还口是最基本的。我觉得我爸是水陆两栖动物，因为当妈妈生气骂人的时候，他可以像河马在水里一样，把耳朵合起来，一滴水都不会跑进去；但如果罗妈妈那天是万兽之王的狮子，那河马还有一招，河马会慢慢移动身影到佛桌旁，然后按下录音机放佛经的开关……
一开始那会很像妈妈在跟佛经吵架。
实在是太不敬了！怎么可以在观世音菩萨面前撂狠话呢！
然后妈妈就会笑出来。

打女人，在罗家更是绝对不可能的事情。爸爸跟我说过，男人本性爱打架，因为发火的时候打人很爽，有的男人，还会觉得

很过瘾——那是因为他们从来没有想过，被打的人有多糗！
所以我建议男人偶尔应该要装“娘”一下。大家偶尔要换个脑袋，试着用女人的角度去思考一下事情。不要一味地只想：“男人应该怎样？”更应该要想想：“如果我是女人，那我会怎样？”

很多事情当你换个脑袋、换个角度去想，就会跟原来很不一样。别担心装“娘”会让你显得软弱、会减损你的男性气魄。**新时代男人要能放能收，“娘”了以后还能Man回来，才是真男人**！

爸妈没教过我的——那是我身为“罗家第二代”进步出来的想法。
那就是：不管发生再多事情，我也绝对不说女生的坏话。
许多人后来讲到前任交往的男女朋友，都会骂。
但其实你们也一起经历过许多美好的事情，对不对？
而本来曾经相爱的两个人，后来会分开，其中真正的原因及感受，就像当时曾经历过的幸福一样，应该都是他人很难真正了解的吧！
那何不微笑面对呢？！你试试看先牵动你的嘴角，很神奇的，当你一旦上扬了嘴角，就好像有一块肌肉也会连动到你的心，当你回想那些过程，心打开了！很多甜的味道跑出来……甜的记忆总是连动的——你还记得我吗？我曾经带给你的，是不是也正如我回想起你一样，都是美好的呢？

如果我们也都在这个过程里，因为彼此而学习到了，不管那个课程有多困难，又必须让我们付出多少代价，那我都要谢谢你，因为你是我的老师。
全是因为你，才让我知道了爱情里的苦与甜。

我们永远很难预测爱情的结果，那是我们后来纷纷学会的……
但我们可以享受那些过程。那些我们当时并不知道结果，却还是愿意义无反顾，让彼此幸福快乐的美好过程。

所以男人啊！你怎么忍心不把女人拿来疼呢？！

我印象很深的一个夜晚，那应该是凌晨了，我跟妈妈在电影院外面的美食街等着电影开演。我猜那时妈妈一定是无聊到没有任何话题了，突然问我："祥祥，你还是不是处男啊？"
"哈？"我愣了一下，这个罗家、这个罗妈妈，也实在是太开放了吧。
那是我刚过二十岁生日没多久的一个夜晚。久到我都忘记当时告诉妈妈的答案是什么了……
第二天，我在我的皮夹里发现了一个保险套。
我知道那是妈妈放的。
它是一种提醒、一种保护，那是每个有担当的男人都应该要知道的，如果你真的爱她，就不要让她受到任何伤害。
就像一个另类的护身符……

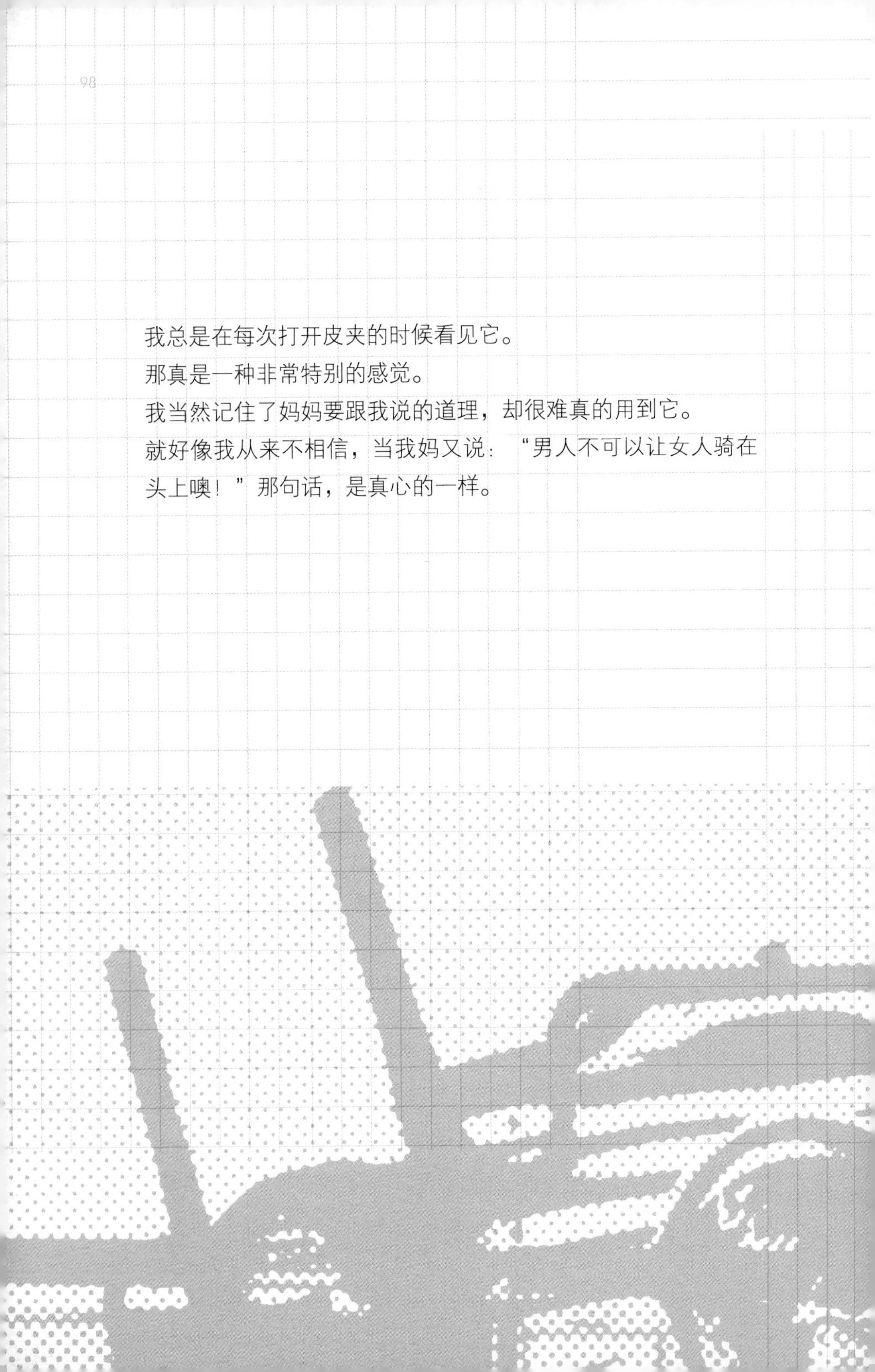

我总是在每次打开皮夹的时候看见它。

那真是一种非常特别的感觉。

我当然记住了妈妈要跟我说的道理，却很难真的用到它。

就好像我从来不相信，当我妈又说："男人不可以让女人骑在头上噢！"那句话，是真心的一样。

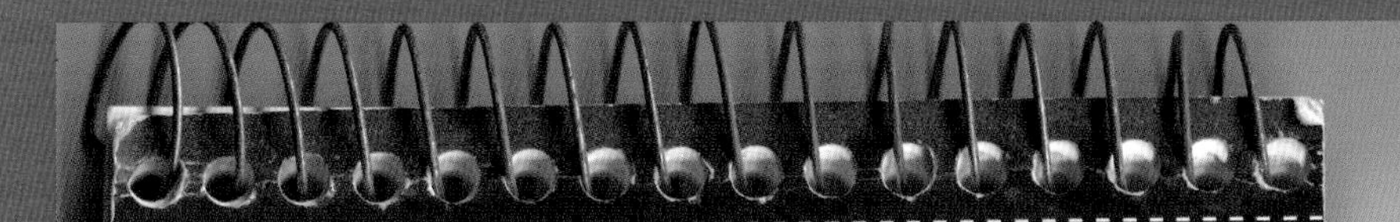

LESSON 14

秘密

可以启动宇宙“秘密”能量的咒语，
一定都是来自于“爱”。

秘密

那是我第一次带那个女生回家给爸妈看。

像所有第一次到男朋友家的女孩们一样，她很担心自己的表现，不但精心打扮、还在心底模拟了好多的问答准备稿，她说自己最近连说梦话都是那些稿子。

“你爸妈会不会……一见到我就很讨厌，然后马上把我赶出来？！”女孩像突然看见鬼那样喊出来。

我知道这年代，有很多女孩是不敢跟男友的父母来往的，因为她们认为感情是两个人的事，她们尤其抗拒男友的妈妈，就像电视里经常会上演的两个女人的战争。所以我很感激她，因为她马上就答应了我的邀约，我知道她是真心想讨我妈妈的欢心。

“别担心，一切都有我在啦！”我安慰她，今天的她穿着洋装，像个小公主，肯定是个人见人爱的甜心小姐。

“叔叔、阿姨好！”女孩笑得好甜美。

爸妈把我们迎接到客厅。

“祥祥，家里没饮料了，你出去买。”妈妈说完又看了爸爸一眼，爸爸马上像机器人那样发出声音：“噢，对吼，我楼下还有事情，我先下楼去忙一下。”

那是后来整间客厅，只留下妈妈，还有留在女生脸上的那个“哈？！那我怎么办？”的表情。

我开着车，脑袋狂转："哪里是买饮料最近的店？妈妈为什么要把那女生单独留下来？"超市排队结账的人好多，我冷汗直流、心跳好快，终于冲回家，发现她们正在排麻将桌……

"要打牌啊？人不够吧！我来找人。"我拿起手机。"不用啦！我们四个人不是刚好？"妈妈说。

不会吧？！才初次见面，妈妈就要找她打牌——牌桌上最容易看出本性的道理，是妈妈常说的。

女孩优雅地摸牌、打牌——那是刚开始的时候；当她开始一直放枪、再放、像机关枪那样连环放……我的冷汗又开始冒出来，就像眼睁睁地看着白素贞喝下了纯度100的雄黄酒……

"吼！罗妈妈，为什么我打什么，你就吃什么啊？！那我嘴巴里的东西你要不要吃啊？！"女孩拿着零食，伸出舌头，终于像白蛇那样吐出舌信了。

我的嘴也跟着张开，那是因为我吓傻了……

没想到妈妈竟然笑出来，继续吃她的牌。

那是一个接下来女孩形象尽失的下午，她开始跷脚、跟我妈抬杠，我跟爸爸在这两个女人面前，就只要负责笑就好了……当我妈说她想煮拉面吃的时候，她说她也要，还跟我妈一样，吃拉面的时候发出好大的声音，我整个震惊到，全世界我以为只有我妈才能发出那么大的声音！

没想到我们的牌局竟然从晚上直到隔天早上。

“爸爸、妈妈！再见！我下次还要来哦！”女孩突然笑着转身，像五声道音响那样开到最大声炸出来，把站在后面送我们的爸妈吓了一跳！

电梯的门开了，我们一起走进去，我慢了一秒钟转身，就在那一秒钟里我看见妈妈对我竖起大拇指，偷偷对着那个女孩比了一个“赞”的手势。

我真是彻底糊涂了！

“我去买饮料的时候，我妈妈跟你说了什么啊？”我一上车就赶紧问她。

“没说什么啊！那是我跟罗妈妈的‘秘密’。”女孩摇下车窗，风吹得她的头发飞起来，那么轻松自在。她本来就不是优雅淑女，率性真诚就是她最美丽的样子。

“好啦！其实罗妈妈说了好多你的‘秘密’，但简单说就是罗妈妈问你有没有对我不好啊？然后罗妈妈又说了好多你的优点跟缺点……”我的耳朵竖起来，赶紧把音乐声调小一点。“最后罗妈妈说，每个人都一定有优点跟缺点，但是在家里就应该放轻松，可以让它们尽情展现出来，因为是在家里，那就是我们家的文化噢！每个在家里的人都应该是那样放轻松的。”

我边听边笑……

眼前亮起的是我们三人经常在家里歪七扭八、尽情放松的画面。对啊！每个在家里的人，都应该那么放松的啊！

不知道妈妈还说了我哪些“秘密”……风吹得我头发也飞起

来，不知为何我就开始跟着音乐吹起口哨，我平常很少那么做的，我想那是因为我终于也跟着放松，我从来不知道两个女人，当她们爱上了同一个东西，她们竟然可以不用拉锯、不用角力，却可以从分享一个“秘密”开始她们的友谊……

后来，那女孩到我家就从来不需要准备；她不再叫叔叔、阿姨，而是直接大声叫他们爸爸、妈妈——爸妈最喜欢的就是这种大方不做作的女孩，我看着爸妈开心地笑着，那是超出我们两人世界外的，又多出来的幸福……

这一切都是从一个秘密开始。
我想那就是“秘密”的力量。

SE C R E T O F LOVE

P OWER

O F SHARING

罗妈妈说：
说“对不起”，需要勇气；
当别人勇敢跟你说“对不起”，
也要勇敢地真心原谅他！

“会做人”比
“会读书”更重要。

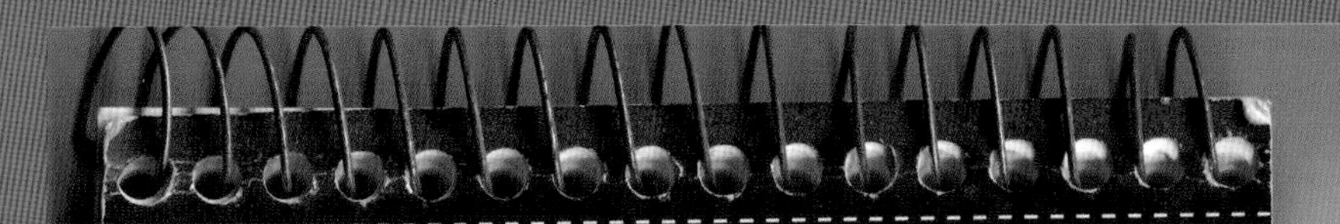

LESSON 15

谁说帅哥不会被“劈腿”

错过，经常是为了遇见更好的。

Wego
WEDDINGHOUSE
NOT FOR
SALE

谁说帅哥不会被“劈腿”

谁说帅哥不会被“劈腿”？！
我认识的一个“熟到不能再熟”的帅哥，就被劈腿了3次。
哈！你猜对了！那个人就是我。

第一次，我听不进许多人跟我说的耳语，说她也跟别的男生在交往。
上一分钟，朋友跟我说看见她跟男生在东区的茶街；下一分钟我打电话给她，她说她在学校。她不爱打台球，可是那阵子她常去台球室，我告诉她，说那里太复杂，她说是陪朋友去，因为那些朋友可以陪她——我并不知道，又或许我是故意视而不见，我们之间正筑起一道隐形的墙，而堆起那座墙的，是谎言……
那个晚上我开完会，我坐在车上，正想打电话给她，车子经过台北闹区，我塞在车阵里，一抬头就看见她跟一个男生牵手过马路。我没有声张，回家后我默默地走去她住的地方，我不知道自己究竟走了多久，也不知道自己又在她家附近的天桥上站了多久，终于她回家了！我看着她从那辆保时捷跑车走出来，一下子又好像想起什么，绕向驾驶座的窗户，然后把头伸进窗内，跟那个男生深情相吻……

我按短信的手一直在发抖，我很伤心、很愤怒，但我想那封短信应该看不出来，我想我最后只能说："祝你和'跑车男'幸福快乐。"

我的第二次被"劈腿"的经验，听起来很像一个笑话。
那个晚上我打电话给她，没想到她已经睡了。然后她迷迷糊糊地说："阿凯啊！人家在睡觉了。"我愣了一下，没想到她还继续说："你明天几点来接我出去玩？"我跟她说五点，她说"好"，然后就kiss goodbye，挂上电话后我想我刚刚应该是又被"劈腿"了。

第三次是我去那个女生家找她，她还没回家。伯母一直对我很好，因为当时客厅有其他的客人，所以伯母要我去她的房间先坐坐。因为我在里面真的等了很久，久到我瞄见她压在梳妆台镜子后面的一迭照片。我一看就愣住了！那是另外一个男生跟她的出游照，照片里的人揽肩笑得好开心，我虽然心存侥幸但目光顺着照片往右下角移，看见那里的拍照日期其实就是最近没有错……我悄悄带上房门，跟伯母说我要先走了，然后咬咬牙跟伯母说，其实我这趟来是要跟她提分手的，现在要麻烦伯母帮我跟她说，一切都是我不好——天知道我怎么会有那么大的度量！也许我希望她幸福，也许这样事情会最简单，不是每一种分开，都需要撕破脸……

也许我还太急着去海边。
每当我很郁闷的时候，我就飞车去海边。
那是我第一次被劈腿的时候，妈妈教我的。
去海边大吼出来！不要压抑，如果你真的很不爽就去海边，把你所有会的脏话都大吼出来吧！
当喉咙喊哑了……就抹干眼泪，开始想想，自己有没有错？
妈妈说，在我对爱情还很懵懂的时候，**她说爱情是一个过程，没有人可以在那个过程里真的预知结果，也只有在很多年以后回头看，你才会知道，爱情就是缘分，爱情就是：该你的就是你的，不是你的，你求也求不来**！

可是我们可以在爱情里进化。
如果被劈腿，是因为我们做得不够好，那我们可以改进。而我们改进的目的，是因为我们相信，一定还有一个更适合你，更值得蜕变后的你，去好好对待的人，在等着你。
但如果你发现自己没有错，那你就要像我妈妈说的：从哪里跌倒就从哪里站起来——**你更要让自己变得更好**！**证明出来，让他知道，他不要你，是他这辈子最大的损失**！
我不会忘记，当时那个“保时捷跑车男”的出现，曾经带给我多大的刺激与激励，这些年当我的事业好像又从谷底慢慢往上爬，也许那也是潜意识里，不断鞭策我的力量。

现在你相信了：谁说帅哥不会被“劈腿”！

爱情从来不会因为你的外在条件，就绝对美好。爱情也不一定会因为你的付出，就一定会得到回报。爱情从来没有理论跟公式可循……

而那的确真的发生。

几年后，当我有机会又遇见那个女孩，当时我们的关系已经是朋友，她对我说：“我现在还真后悔当时那么做！”

我听了也只是笑，我能说什么呢？但我心底正在说：对啊！你是真的应该要后悔啊！

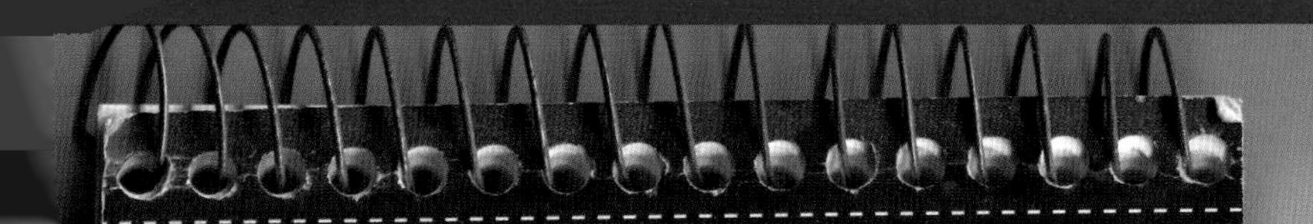

LESSON 16

做不到的事

只有不想做的人，没有做不到的事。

做不到的事

小时候总以为，只要我长大，很多“做不到的事”就可以做到了。
没想到长大后，“做不到的事”还是很多、很多……
尤其是因为“罗志祥”这个名字，而让我做不到的事。

你说你的心愿是：跟自己喜欢的人，牵手逛大街。
我知道那种滋味。在很久以前，在罗志祥还不是“罗志祥”的时候，就像每对相爱的人一样，两人一起牵手逛街是那么自然又开心的事情。

那是我一直欠你的心愿。
是我做不到的事。
每次想起来，心都酸溜溜的……

不是不想高调去爱。狮子座爱热闹的我，高调是本能。但每当我想到，如果我们牵手逛街的照片，开始在媒体曝光……那是我习惯的喧哗，但你呢？开始会被密切追踪甚至在网络上被人肉搜索的你，你真的可以吗？我们的爱情真的不会从此改变吗？

那是你从来没有过的经验，我不敢高估你，一如我不敢赌上我们的爱情。
而你对我做的事情却一直那么多……
那天，我做完专辑宣传通告已经很晚了，我们开车去河滨公园，那里有我们都很爱的夜景。我很遗憾，因为今年圣诞节我要工作无法陪你，那个遗憾在这样安静的深夜里，又悄悄在我心底慢慢扩散……却被你打断了——那是你突然在车上递给我的一张CD，你说："因为今年的圣诞夜，没办法一起度过，所以这个送给你，当你在圣诞夜听见这个，就好像我也在你身边哦！"

我把CD放进唱盘，车里的音响马上传出《恋爱达人》的音乐。我才刚觉得奇怪，就发现对唱的部分全都变成你的声音，那是你改写的新歌词，那么幸福甜蜜的歌词。你不是专业的，卡接得有点粗糙，却让我感觉那么骄傲，原来我可以给你那么幸福的感觉啊……

整个晚上，我们在河滨公园一起听着那首歌，那是我们相爱的配乐，在那么甜蜜的配乐里，我一下子那么自责，因为我始终欠你一个心愿。

圣诞节前几天，我跟妈妈去逛街，我好久没陪妈妈逛街了，但我其实都在找你的礼物。终于，妈妈发现我带她去看的专柜，都是年轻女孩喜欢的东西。

"你要找送给她的礼物啊？"妈妈问。

"你圣诞节不是要在香港工作吗？"妈妈又问我。

"对啊！所以我想买一个贵重的东西提早送给她，妈妈，我今年有赚到钱。"我跟妈妈撒娇，怕妈妈会反对，我欠那女孩太多，我是真心想弥补她。

“那是一定要的啊！”妈妈说，“而且光那样还不够哦……”
妈妈又叽哩咕噜地跟我说了一些话，我听得猛点头……

圣诞节来了！我们一路冲向香港机场——我跟公司请求，可不可以把我整天的通告，都往前提早一些。那天天还没亮，我就起床弄妆发了，我只祈求上苍，可以让我赶上回台湾的飞机，终于我在圣诞节的尾巴，站在台北街头………

我在这条闹区大街发糖果跟面纸，好久了……好多经过的小孩，跑过来跟我要糖，我边发，边不安地看着街口，直到那个我熟悉的身影终于出现了……她走下出租车，朝着她家的方向走过来。
“Merry Christmas!”我跟她说，然后一直忍住笑。我就知道说英文她一定就认不出是我了。(因为我个人认为，那是我说得最标准的一句英文。)
“Merry Christmas!”她也说。
然后我从圣诞老公公的大红布袋里，拿出我买好的礼物。

“啊！”她愣了一下，没遇过圣诞老公公真的给这么大包的礼物，一下子愣住了！在眼神交会的刹那，又一下子认出来……
“你今天不是应该在香港……”说不完一句话，就开始哭。
“是啊！但还是要想办法赶回来，在圣诞节跟你一起过啊！”
说完我牵起她的手……

那是我欠她的。
一起牵手逛大街。

我们就那样紧紧地牵着手，走过好多人，那是一条好享受的路，我们走得很慢、舍不得把它走完……除了妈妈帮我借的圣诞老公公的裤子实在太短之外，没有人觉得奇怪。(妈妈把道具服给我的时候有说：啊！不好意思！大件的都就被借光了。)

谢谢妈妈给我这个好点子。
谢谢妈妈告诉我，她这辈子所收过爸爸给她最棒的礼物，并不是那些礼物的价值，而是爸爸每次都又做到了，她以为爸爸做不到的事。
相爱就是你愿意用心去想，去想一件对方想不到的事，妈妈说那样相爱才有意思。

那你有没有一个相爱的人？
而你又什么时候要为她做到那件“做不到的事”呢？

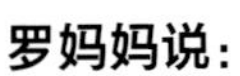

你每次给女生买礼物，要记得也帮妈妈买一个。
如果那礼物不适合妈妈，也可以换成现金。

百分百情人

爱情里的100分，是“优点”与“缺点”的总和。

百分百情人

每个人都在寻找，百分百的情人。
也都希望，自己的初恋，在你跟爱情第一次见面的时候——你爱的那个人，就是你的百分百情人了！
我从不相信，这世界有天生的花花公子或花花小姐，没有人天生会以收集各式各样的爱情为乐的。
在爱情面前，我们如此诚恳而虔诚，为什么却还是找不到我们心目中的，百分百情人呢？
我很少跟妈妈谈到“爱情”这个话题，这部分妈妈选择在旁边默默看着；就好像我也一直默默看着，她跟爸爸的爱情一样。
他们一直很相爱，所以妈妈很幸运——她在第一次遇见爱情的时候，就找到了她的百分百情人。

“妈妈，为什么你谈感情那么容易啊？”那阵子我正处于对感情灰心的时期，我找妈妈喝酒聊天，酒过三巡，仗着三分醉意问她。
“容易？才怪噢！谈感情哪有容易的。”妈妈说。
我抬起头，放下酒杯，诧异地看着妈妈。
“但是谈感情也可以很容易，只要你能做到四件事情，就很简单了！”我的耳朵竖起来，像一只好奇的小白兔，超想知道妈妈的方法。

典華
WEDDINGHOUSE
T FOR
ALE

第一，一定要给对方私人空间。

“要控制你的占有欲，不要把对方当成是你的附属品，一定要给对方私人空间。‘爱情’是你要让对方的世界，因为你的加入而变得更丰富；而不是因为你的出现，对方就要把自己本来的生活毁灭，只为了证明他爱你！”

我还在消化……

妈妈继续说：“你看妈妈养的动物就知道了，你越关它，它只要一逮到笼门打开的机会，就会冲出去不再回来；所以我从不关门，它们想出去就出去，可是都会自己再回来哦！”

我认为妈妈举的例子很奇怪，但又好像蛮有道理的。

第二，把“爱情”放在你生活中的最后顺位。

“事业、亲情、友情、爱情——生活不外乎就这四个选项，不管你排的先后顺位如何，但一定要把‘爱情’放在最后一个顺位。”

这我就真的不懂了，积极寻找真爱的人，应该都会把感情看得很重要吧！

“就因为大家都把‘爱情’看得太重要啦！所以‘爱情’承受的压力很大，大家都知道事业、亲情、友情难免有高低起伏，知道要慢慢努力，可是对爱情就得失心特别重，一点不顺利就反应激烈；还不只这样噢！也因为大家都把爱情看得太伟大了，所以只要在事业、亲情、友情上遇到不顺利，就要‘爱情’里的对方来分担，但结果经常就是迁怒于人，怪对方不够体谅，弄得两个人都很不愉快！”妈妈说。

“妈妈的意思就是，谈感情要放轻松，越轻松谈的感情，效果越好。”我说。

“对！别把‘爱情’当神奇能量水，爱情可以给你力量，但不能帮你解决你本来就要面对的问题。”

第三，对方一定要是一个孝顺的人。

“哈！孝顺也跟爱情有关哦！”我笑出来。

“当然有啊！因为孝顺最需要的就是耐心，一个有耐心的人，也会对经营爱情很有耐心，她是好情人的几率就比较高啊！”妈妈拍拍我的头说。

哈，还蛮有道理的。

“但是判断对方孝不孝顺，并不是看她对我孝不孝顺噢！因为那可以假装。你要看的是，她对她爸妈孝不孝顺？最快的方法，就是听她跟爸妈讲电话的态度就知道了，那个最准！”

“妈妈，这些都是你本来就知道的吗？”我很好奇，妈妈从来没跟我说过的这些知识，究竟是来自哪里？

妈妈没理我，继续说出她认为是最重要的最后一点。

第四，不要光想：你要什么样的情人；而是：你会是什么样的情人？

“人都很习惯像找一幅喜欢的‘画’那样去找情人，也都很会形容那幅画：外表要怎样、工作要怎样、个性要怎样，却常常忘记自己就是那个‘框’——你要找一幅适合这个框的画，当然要先把自己这个‘框’看清楚啊！你是一个什么样的人？你可以给对方什么？你又会是一个什么样的情人呢？一个连自己都搞不清楚的人，又凭什么相信自己，可以给对方幸福呢？”

“就像当年你爸爸追求我，一开始就讲得很白啊……”妈妈继续说：“你爸爸说，因为我凶、但他脾气好会让我；我演出费比他高，但是他很会存钱；我很独立，但是他不会管我，也不敢管我，而且他一定会疼我，所以我们很适合在一起哦！”妈妈的眼睛亮起来，在那刹那，她好像又变回一个少女，那个在初恋就遇见百分百情人的幸运女孩……

“妈妈，你好幸运，第一次谈恋爱就遇见爸爸这个‘百分百情人’！”我羡慕地说。
“哈？”妈妈疑惑地看着我。
“一百分的情人啊！很多人想找都找不到，妈妈却在一开始就找到了，所以很幸运啊！”
“切！你爸哪有一百分啊？！你爸爸在旁人看起来，可能最高只有五十分噢——但那一点都不重要啊，因为我真心对他，而且我知道他也真心对我啊，那才是最重要的。那种一百分的情人，应该只会出现在偶像剧吧！而且就算真实生活里会出现一百分情人，那也不是好事噢！因为一开始就得满分，那接

love it all we need

NOT FOR SALE

下来就要开始扣分了。好的情人是要随着时间慢慢加分……还有，最后绝对不要忘记也加上你自己的分数噢！就好像你爸爸原本只有五十分，但是最后再加上我自己也差不多的五十分，就是一百分啦！”

然后妈妈说这瓶舅舅送的小米酒，味道真好。
我觉得自己有点醉，在微醺中，却还那么清醒……
我想起自己，想起在爱情中的每个人——我们好像总是太着急，急着给对方打分数、急着去知道对方符不符合自己的标准，却忘记自己其实也身在其中。而爱情本来就是两个人的事，那原本就是一张应该由两个人一起填的考卷，**如果这世界真的有百分百情人，如果这世界真的有一张一百分的考卷，那一定是两个人一起携手努力的结果。**
曾经，我寻找过我的百分百情人，以为找到，然后落空，甚至开始怀疑……
现在我相信了。
这个世界真的有百分百情人。

那个喜悦，让我突然想跟妈妈干杯，然后我们一起说：“干杯！”一饮而尽，这杯美好的酒、美好的夜晚，还有那些美好的爱情道理。

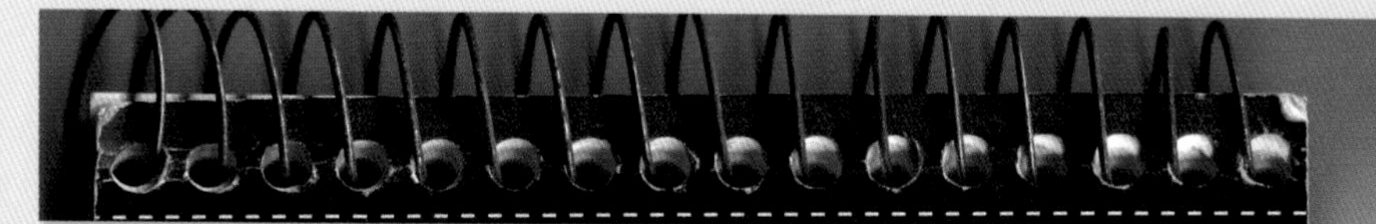

LESSON 18

变形金刚

爱的过程，不是“改变彼此”，而是“一起成长”。

AX-Synth
Roland

变形金刚

我以前不知道……

我只知道妈妈很尊重爸爸，家里的大事都让他决定，但你知道一个家总是以小事居多——所以家里的事情都归我妈管，我妈很强，几乎就是无敌铁金刚的级数；你不在现场，如果你在现场，应该也会跟我爸一样瞠目结舌……

“啊！不能这样啦！什么钱下次等我表演完再一起算，不行啦！我还有很多人的钱要付，你这样我会没信用……啊~不要这样啦！大哥……”爸爸一直在跟找他们去表演的“大哥”求情，那个大哥却无动于衷，摆明了就是甩赖不给我们钱。

“大哥，拜托啦！大家都是出外人啦~”爸爸最后那个“啦”的音已经有点哽咽、又好像有点岔气，因为他已经被我妈一把推开了。

“拿来！”我妈把手伸到大哥面前。“我还有小孩在家里等我养，你今天不把钱给我，我死都不会走。”妈妈瞪着大哥。

“要让你们走还不走？再不走就别走，把他们关起来！”大哥吼出来！

“唉，本来还有命的，现在可能会死了啦……”那是爸爸被关进笼子里第一句跟妈妈说的话。

那也是我等不到爸妈回家的一个晚上。

第二天清早，趴在桌子上的我被妈妈摇醒，有我最爱吃的饭团跟豆浆。那是爸妈在回家的路上买的，大哥一早就放了他们，还把钱丢给她，因为他发现如果不放掉那个女人，她一定会跟他没完没了。

那就是我妈妈。
一个比男人还男人的妈妈。
前几年，当我看见电影《全民超人》里那个隐姓埋名的女超人的时候，我竟然想起我妈。

我妈很强；但也许你也可以换个角度说，那是因为爸爸很让她。
吵架时，他是一个一定先说对不起的爸爸。
不管那件事情是谁的错。
他知道在盛怒下没好话，而那些不好的话会让人伤心。他总是在第二天早上，当大家都睡饱起床后，用眼神cue（提示）我，我马上就会说："爸爸，你跟妈妈和好了没啊？"，"和好了啊！"爸爸就会把我的话接过来，然后继续延伸那个话题，把昨天妈妈不想听的来龙去脉，用告诉我的方式，其实是好好说给妈妈听一遍。
妈妈就会笑笑地听，像听一个"别人的故事"，只是那个主角刚好跟她很像而已。

我一直以为，我们家会一直这样"女强男弱"下去……

那天当我走进病房，撞见他们抱在一起。

“不怕、不怕，我会陪你，我会一直在你身边。”那是妈妈在安慰爸爸，然后她轻轻摸摸他的头，好多遍、好多遍……好像她才是他的丈夫。

医生刚走，他走之前留下了爸爸“状况不好”的讯息。

我以为妈妈会从此变得更强。因为她现在更需要照顾爸爸了。

没想到却从那个拥抱之后，她一转身，从此变成一个女人……

我以前不知道。

后来我才逐渐明白。原来妈妈的改变，是因为她知道爸爸这次的难题，不是光靠她的强势，就会解决的。这次他要靠自己，他必须先有很强的求生意志，他才有起码的机会。而她知道，爸爸很爱她，所以妈妈要他知道，她需要他，因为她是一个女人，是他的妻子，如果他放弃自己就等于也放弃了她。

于是她再次蜕变，把自己从很强很强，变成爱撒娇、爱跟爸爸抬杠，甚至经常会先跟爸爸说对不起……

直到爸爸最后终于撑不住离开妈妈，妈妈都一直做着她的小女人。

这就是变形金刚的故事。

也直到我目睹完整个故事，我才了解，当你真的很爱一个人，那你们就不应该只有一种关系。**在爱的道路上，两个人彼此改变、相互越位，并不是牺牲、更不是妥协，而是相爱的默契。**也只有那种惺惺相惜的默契，才能让爱情一公里、一公里地延续下去吧！

我以前不知道……

我只知道妈妈很尊重爸爸，家里的大事都让他决定——现在，我们家连小事情都会让爸爸决定。爸爸走后，那变成了妈妈的习惯，妈妈每天在拜拜的时候都会跟爸爸说我们最近发生的事情，那里面绝大多数是关于我的。妈妈总是说得很详细，然后问爸爸开不开心……虽然那看起来很像是自问自答，但我知道那不是，那是“变形金刚”的再次蜕变，那是一份真爱的再次蜕变……

那是天地之间又一个真诚而平凡的。

最远距离的恋爱。

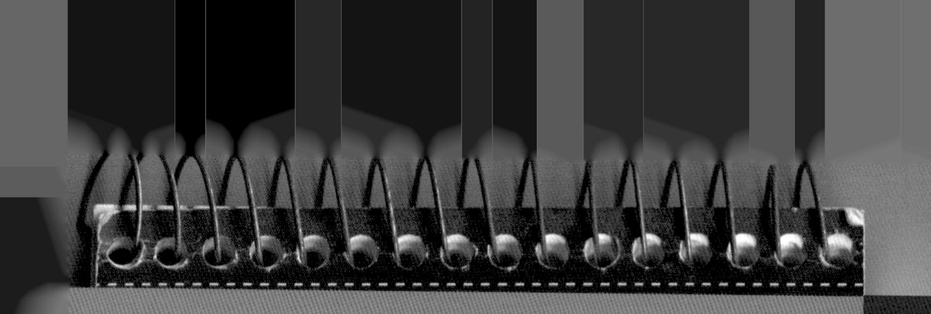

LESSON 19

你定义你自己

定义是别人的事；如何生存，那才是你的事。

你定义你自己

比起很多人，我的入行算很顺利，一进入这个行业就成为当红的偶像团体“四大天王”。就算后来解散了，我跟欧弟组成的“罗密欧”的发展也还不错，我们开始主持，算是从唱歌也跨界到了主持的领域。

直到欧弟去当兵，我开始单飞……

直到我发现自己开始不是那么顺利……

我才发现，我从进这行开始，从没想过自己要什么？我想变成什么样的人？我只是很自然而然地接受那些际遇，接受那些身份。当我终于成为一个人，当我的身份不再隶属于任何团体，我觉得寂寞、恐慌……因为我突然不知道，一个单一的名字，一个叫做“罗志祥”的人，应该是什么东西？

那阵子我在拍戏，饰演一个古代痴情人的角色，突然有一个前辈对我说：“罗志祥，你应该把主持的工作辞掉。你想想看？如果大家一天到晚看见你在节目里搞笑，谁会相信你演的痴情角色是真的？”他很严肃地对我说，“想成功就要懂得取舍啦！”他最后那句话就像一个槌子敲打我的脑袋，我没有因此清醒，只觉眼冒金星，我变得更困惑了。

又过了一阵子，我终于即将用个人的名义发行第一张唱片——那个槌子又来了！这次是我的经纪公司，他们希望我辞掉主持工作。那是另一个理由：“如果你想当唱片歌手，就要保持神秘感，像那样每天在电视频繁曝光，是不可能成功的！”

我觉得他们说得都对。
都是他们基于经验跟专业，给我的定义跟建议。
但重点是，主持、唱歌、演戏，都是我很喜欢的工作啊！
尤其是大家都要我放弃的综艺主持，大家都觉得搞笑、很难成大器的工作，却是我最珍惜的——因为他们是当我的演艺生涯最走下坡、最寂寞的时候，唯一给我工作机会的人。这个恩情，是身为“罗志祥”这三个字的我，一定会记得的。
但我非常有可能会因此失败，对不对?
他们说如果你不相信，那你告诉我，现在华人世界，有哪一个人是可以同时主持、演戏、唱歌，又都有好成绩的？！
就在我事业将要再度出发的前夕，我好像突然陷入一种抉择，我究竟该如何定义“罗志祥”呢?

“妈妈，我是阿祥……”我在每天一定会打回家的电话里，问妈妈今天好不好。最后忍不住说了我的困扰。我说我很担心，我很担心自己是不是太贪心，因为大家都认为那样不好，然后我就把好不容易又有转机的前途，全部都搞砸了！
“阿祥，妈妈问你一个问题？”我说好，然后听见妈妈说：
“你觉得你爸爸有几个身份？”
“我爸爸就是我‘爸爸’啊！”我说。
“厚！阿呆，他也是我‘丈夫’，也是你阿嬷的‘儿子’啊！”
原来爸爸也有三个身份耶！
“而且他是你的好爸爸、是我眼中的好丈夫；也是你奶奶一直很喜欢的好儿子哦！”妈妈接着说。

“那爸爸是怎么做到的啊？”我问，我突然觉得爸爸好伟大，原来我一直很爱的爸爸，竟然还默默地同时有那么多个身份，而且把那三个身份都做得那么好。

妈妈说，爸爸的成功绝对不是因为人家叫他一声儿子、老公或者爸爸，他就成功了；更绝对不是人家告诉他，应该如何当一个好儿子、好老公或好爸爸，他就成功了。

“那爸爸成功的秘诀是什么？”我急着问。

“就是用心，用心去做，用心去让你想带给他快乐的人幸福，那就对了！”

我说我懂了，高兴得就要挂电话去工作了。

妈妈又在电话那头叫住我。

“阿祥，**不要管别人怎么说，那都是别人给你的定义，只有你自己知道你可以做到什么**！就像妈妈从来没有定义过你、规定过你，可是你现在也是妈妈眼中最棒的儿子哦！”

那是后来接下来的六年时光……

我只记得我爸爸也有过的三种身份。还不只我爸爸，其实在这个世界上有很多爸爸，他们也都同时拥有很多身份，他们有的很有名气、但他们更大多数默默无闻，但他们都做得很好，因为他们是如此用心地希望喜欢他们的人幸福。

我从此比照办理。

我不再花时间思考自己的身份——我究竟是一个歌手、演员还是综艺搞笑主持人？

我只记得，当我在台上做任何一项演出的时候，就用心把它做到最好，让看我演出的人觉得幸福。

如果你说我是个还算不错的唱跳歌手，那我就在舞台上吓死你，让你知道原来华人歌手也可以有唱跳威力；如果你爱看我搞笑，那我就在舞台上笑死你，尤其是跟我最久的歌迷朋友，我希望你们看见当时最早认识的搞笑罗志祥，直到现在还是可以像朋友一样经常让你看见，还是一样可以让你笑到肚子痛……

喜剧《海派甜心》里有一幕戏，是搞笑的达浪在跟宝茱话别，当我终于演完它，一转身，却看见镜头外的小霜跟工作人员在擦眼泪……我接过他们分给我的面纸，那是场我自己都哭得唏哩哗啦的戏。可是此刻我的心也浮现幸福，因为我知道那也许对我是一个鼓励，因为我好像做到让一个喜剧的角色，当他真情流露的时候，也可以获得悲剧的眼泪。

那就是我用心投入，观众也投入，于是我们一起获得的宣泄与幸福……当我陆续以《斗鱼2》《篮球火》《海派甜心》入围金钟奖戏剧类最佳男主角，想我起码做到了一件事情——谁说演喜剧，不能入围金钟奖呢？！

直到现在我还是经常被媒体问到：演员、主持人、唱跳歌手，你都有很好的成绩，到底哪一个身份才是你的最爱？哪一个才最接近你的本质？

我很想给个答案，让那篇访问稿好写一点。

Roland

S L WO L P
H

但那都是我。
每个部分都是我。
如果可以，我更在意的是观众的幸福。而当我一旦确立这个前提，那我从此就可以不再受任何局限。
那就是当我每次又出场跟大家打招呼……
“我是‘罗志祥’！”
“罗志祥”那三个字就是我给自己的定义。

不要管别人怎么说，那都是别人给你的定义，只有你自己知道你可以做到什么！
只有你可以定义你自己。
我相信你一定也可以。

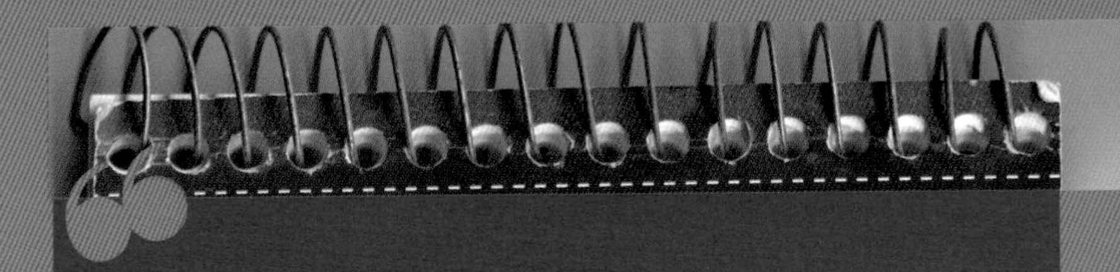

LESSON20

财库的传说

能力越大的人，责任就越大。

财库的传说

那一直是妈妈深信的一个说法：
每个人都有一个“财库”，里面装着每个人这辈子会有的财富。而且它是固定的，如果你的“财库”的数字是五千万，那就是你这一生会拥有的总财富，上天不会多给一块、也不会少你一分，就是五千万这个数字。

我跟很多人一样好奇自己“财库”的数字，但我想那永远没有铁定“对”的答案，所以我就努力工作，努力去刷新自己“财库”的数字，然后在每个阶段，惊喜地发现：哇！原来我的“财库”的数字，比我猜的还多一点耶！
随着我探索财库数字的同时，我每个月给妈妈的家用也随着变多，但其实这几年妈妈过的日子并没有太多不同，可是家里的开销却变大……

后来我才发现，原来妈妈这几年越做越大的事业，是助养流浪动物。
每当我看见妈妈在月底结算开销的时候，还是忍不住会对她说：“妈妈，你每个月花在养那些流浪动物的钱，都可以买一颗钻石了耶！那样一年就是12颗钻石了哦！”

妈妈说那不一样，买钻石的快乐只是一时的，但她每次看见那些动物们靠过来时的表情，那种开心的表情，她可以看365天，而且永远看不腻。

所以有时候她遇见有人跟她说："罗妈妈，你儿子现在收入应该不错啊，你怎么不好好打扮一下？你应该像很多星妈那样去买名牌啊！"妈妈还是完全不为所动。

我也曾经担心，如果有一天我走下坡了……当我再也负担不起那些开销，那该怎么办啊？！

接下来那阵子，我赞助了花莲两个学校的经济弱势学生，让他们不用担心学费，可以安心念书；听说了一个学校的棒球队，因为没有经费，无法出去比赛，我不用考虑就知道我应该提供支持，因为那是那些努力的孩子们的梦；基隆老家小区的路，一直等不到经费修缮，我说那我来出，因为那是我的故乡，我希望故乡里的每个人，都有一条安全的回家之路……我没有说，因为帮助别人本来就是我一直期许自己，本来就应该去做的事。但那的确是我开销又变得更大的好几个月……

那也是我收入突然又变多的几个月，我好忙，又接了好几支广告。
如此神奇。
我突然想起，妈妈跟我说的另一个关于“财库”的传说：

“如果你愿意去帮助别的人，那些你从‘财库’拿出去的钱财，就可以不用列在‘财库’的额度里，老天爷都会再偷偷地补给你哦……”
嘻！是真的耶！
原来老天爷那么厉害啊！

有天妈妈找我吃饭。
她说有一群朋友托她来找我帮忙。
妈妈想跟我申请更多的经费，因为她想自己租一块地，帮助更多的动物。
哈！最好那群流浪动物的朋友是真的会说话。
我拒绝了。
因为我跟妈妈说：“妈妈，我们自己买地吧！如果我们自己有一块地，那群流浪动物朋友，才可以真的不用再流浪啊！”
我没说出来的，其实那也是我多年来的心愿。那是有一次，我看见妈妈在大雨中，淋雨喂着它们……在那一刻我跟自己说，只要我有能力，我就不要让妈妈跟它们再淋雨，也不要它们再狂吞和着雨水、烂泥的饲料了。

妈妈很高兴，但她对于我的提议，还是有点担心，她怕我的经济压力会更大……

但我有什么好考虑的呢？！
当你愿意付出得越多，那上天就会给你更多的能力，那是因为老天爷知道，你要照顾很多人，所以他不会随便收回那个能力——如果连日理万机的老天爷都不嫌烦，那我还有什么好计较的呢？！

那天当我们到达基隆“情人湖”公园的时候，天色已近昏暗。情人湖畔的黄昏，夜色正美，我跟着妈妈一起下车，妈妈带了好多东西要给她的朋友打牙祭……
“小黄、小黑、花花、小白、冬冬、哈利、美美……”天知道我妈妈是怎么想出那一大堆的名字的。紧接着是一阵草群间的骚动，有那么多的身影，从四面八方跑过来，我慢慢地看见了，它们看起来都很开心、很开心，直到冲进我的面前，在星光中、在月光下，我想我真的看见了，它们一双双闪耀着喜悦的目光，像钻石！在夜空中闪烁着……
原来妈妈的“财库”里，早就存了那么多颗钻石！

罗妈妈说：
留一条路给人家走；
就等于也留一条路给自己退。

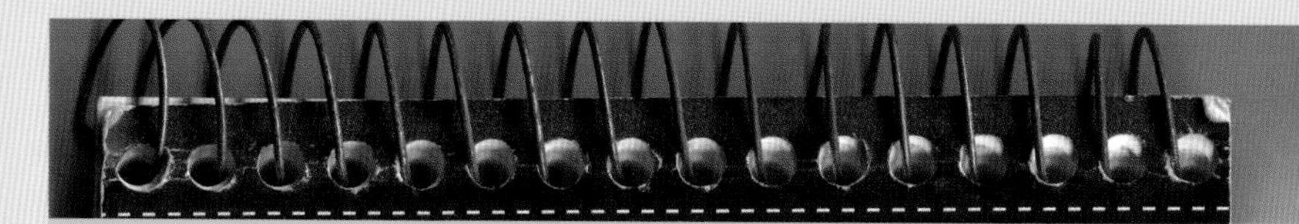

LESSON 21

花钱才是师祖

“赚钱”跟“花钱”，一样需要智慧！

花钱才是师祖

老一辈的人常说的谚语：“赚钱是徒弟，存钱是师父”，这句话到了妈妈口中又多了一句——花钱才是师祖。
妈妈的意思是：别做守财奴。

小时候就算环境不好，我们一家人还是会在表演完后，手牵手去吃顿好吃的，当作辛苦工作的犒赏。那也是我一整天最快乐的时候。
后来当我们家开了卡拉OK，妈妈开始学做生意，只要我们家附近有什么新的店开门，妈妈一定会带我去光顾，因为她了解开店的人希望生意上门，她都会去捧个人场。
妈妈说那就跟打麻将一样，不要只会守牌，当下家吃到你的牌，他才会也出好牌给下家吃，这样牌才会动，你也才有机会吃到好牌；钱也是一样！如果大家都不花钱，都把钱存在口袋里，那钱就不会流通，最后就是大家一起过苦日子。
对妈妈来说，赚钱靠努力，存钱是美德，但怎么花钱，才是真的智慧。

刚入行前几年，我的收入并不多，扣掉拿回家的家用后所剩无几——我当时生活里能多买的东西很少，但我量力而为，经常要存很久的钱，才能去买一个我喜欢了很久的东西；这几年我努力工作赚钱，我存钱，也犒赏自己，那些我曾经很喜欢的品牌，我开始用行动积极支持它们。

有些人对于品牌会嗤之以鼻，因为有品牌的东西比较贵，认为买有品牌的东西很浪费。
就好像下载盗版音乐的人会说，他不买正版，是因为CD太贵了——他不明白一张专辑的诞生，需要多少人的心血投入，还有制作费、企划费、宣传费、服装造型、影像拍摄、化妆发型、交通费……林林总总的开销。
品牌的诞生又何尝不是如此？！
如果我们都希望我们生存的世界，因为那些艺术工作者的持续投入，而变得更有美感，如果行有余力，那我们就不要让他们灰心，不要让他们消失；相反地，**我们更应该用具体的行动，去支持那些点缀生活的美好事物，让它们继续被热情地创造出来**。
所以我总会在工作几个月后，给自己放一个购物假。不一定去哪个地方，但**只要是我喜欢的东西，我就会二话不说地买下。因为它很特别，设计它的人很用心——就好像我也很希望你用行动支持我的正版音乐一样**。

我曾经遇到一些同业的朋友，他们说你花太多钱买衣服了！拍戏、出专辑，公司买给你的衣服就穿不完了，为何还要花那些钱啊？！

对我来说，做为一个专业的流行歌手，我分秒都不想在“潮”流里缺席，我把它当作我自己事业的必须开销，那是我对自己工作的尊重跟投资。对于这样的投资，我觉得聪明，而且从不心疼。

你很难想象，在我努力消费的同时，我也是那种看见地上有一块钱，不管旁边有多少人，都会马上捡起来放进口袋的人。那是我对钱的看重，你必须尊重它、爱惜它，它才会一直来找你。那也是我的天赋异禀，我很会看见地上的钱，公司同事笑我是“见钱眼开”，我认为那是一种赞美！每隔一段时间，我就会招待大家出国玩，笑我见钱眼开的同事说：“很贵耶！那么多人，要花一百多万。”我说：“没关系，大家开心就好。开心最重要！”这也是我觉得很聪明的花钱，这群伙伴为我辛苦了这么久……**对我来说，有能力的人，要懂得去帮助别人；但更要记得去回报，那些曾经帮助过你的人**——如果一趟旅行，可以让他们开心，让他们觉得自己的付出被看重，还可以出国充电跟休息，那这笔钱就花得很有价值。

爸爸要走的前一个月，我知道他一直很想去上海，于是我跟妈妈计划了一次上海之旅。我们将旅程的动线计划得很周延，妈妈还特地去学心肺复苏术。我们招待了伯伯们同行，因为除了我们，他们也是爸爸这辈子最亲密的手足。

那是一趟爱的旅行，我们紧紧围绕着爸爸，舍不得走开；那也是一趟开心的旅行，爸爸的笑声很多，他已经很久没有那么开心……在爸爸终于看见“和平饭店”爵士演奏的那个夜晚，一向很节省的爸爸，突然对我说：“阿祥，这次爸爸让你花了很多钱。你很孝顺，爸爸有你，是这辈子最大的福气。”我听着，我很想转过去对爸爸笑一个，但是我没有办法，在悠扬的音乐声中，我只能直直看着前方，因为我的眼泪一直掉、一直掉，我无法拨开它，因为我知道那一刻，我的任何移动，都会让我忍不住崩溃大哭出来……
那是爸爸的最后一次旅行。
那也是我就算散尽家财都觉得值得的一次旅行。

“赚钱是徒弟，存钱是师父，花钱才是师祖”，这是妈妈当年说过的话。多年后我用自己的方法诠释了对金钱“努力赚、耐心存、聪明花”的道理。
有人快乐花钱；有人一听到要花钱，就很痛苦。
我不知道你的金钱观是什么？

我只知道我曾经使用过金钱，却得到了……
最无价的幸福。

Roland

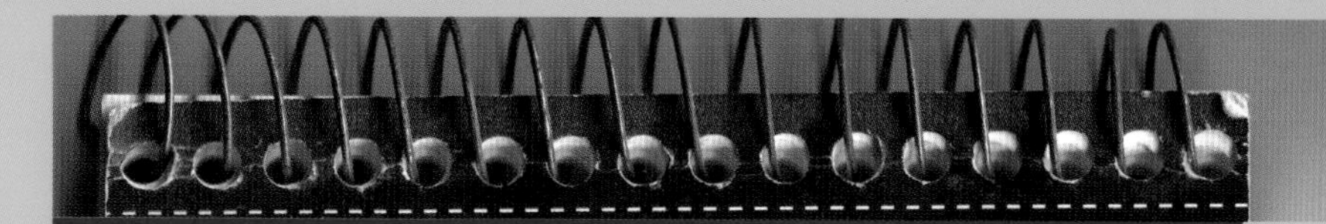

LESSON 22

弯腰是最好的姿势

弯腰，会延伸出更大的世界。

弯腰是最好的姿势

我从小跟着爸妈四处表演，全省走透，经常看见不一样的人和环境，跟许多同年龄的小孩比起来，我看得比较多，我的世界好像比较大。

印象中的爸妈总是姿态很低，他们弯着腰，在台上表演、说笑话，当大家发出笑声的时候，他们就马上弯腰说谢谢。下了台，他们会马上带着我，还有被请来一起表演的乐手老师们，去跟老板弯腰说谢谢。
那个时候我就学会弯腰了。

我记得当时爸妈有一个同行的朋友，跟爸妈很要好，彼此会互相支持。后来他们的团很红，很多单位邀请他们。有一天我们在某个表演场地遇到他们，爸爸很热情地跟他们打招呼，可是他们竟然装作没看见，就走过去了……后来我才知道他们变得很“势利”，因为红了就不理以前的朋友，他们只跟他们眼中认为层次相同的人来往——当我从妈妈口中知道那个原因，那是我第一次听见“势利”这个单词，我不喜欢那个单字，坦白说我还有点难过，我不知道人原来会因为成功，就可以突然变成那个样子。

后来当我长大，进入演艺圈，进入了我自己的世界。

即便一入行我就当了偶像，在一开始就很幸运地有了不错的成绩。但我最喜欢的还是跟那些街头英雄，也就是大家口中所谓的基层工作人员，在一起工作或聊天的感觉。他们让我感觉很真实、很自在，没有地位谁高谁低，没有谁该被谁伺候，大家一起工作或交换经验，如此自然而然，我没有想太多，因为我原本就来自街头。

然后，我就突然搭上了那班事业从高处冲向谷底的云霄飞车。

于是我又再次看见了“势利”这个单词。这次，却是在我自己的世界里……同样的状况再度上演：当我面对着一些曾经很熟识的人走来，我跟他们打招呼，他们却视而不见，只跟前面的当红艺人或制作人，热情地挥手……那真是让人难忘的滋味啊！
那也是只有真正坐过云霄飞车的人，才能看见的人生风景吧！

从此，我的腰弯得更低，也只有在那个弯着超低腰的过程里，我才更能体会到，原来这世界还是有很多成功的人，他们不但不看轻你，给你机会，而即便他们已经很成功，待人接物却还是非常谦虚有礼。我看着他们，从一开始的讶异、佩服……，到一下子突然明白了！原来谦卑是来自于珍惜，他们珍惜所拥有的，更珍惜所有在过程里曾经有人给过的协助，他们尝到成功的滋味，成功经常让人失忆，但他们没有！**他们深深了解从**

来没有一种成功是可以独立完成的，所以他们学会更谦卑，那让很多人愿意继续帮助他们，所以他们的成功经常会维持很久很久——他们才是真正懂得“弯腰”的一群。

说到这里我就想起我的某个圈内难友。哈！她跟我很像，她也是一入行就很成功，然后也搭过事业向下俯冲的云霄飞车——我在她口中所谓“走下坡”的时候认识她，变成了好朋友，当时还在上坡的我好像有给她一些鼓励；后来，换我的云霄飞车来了，她的车子却突然逆转往上冲，她也没有因此而看不起我，换成她鼓励我……原因很简单，她来自夜市，我来自街头，因为我们从小就在平凡的环境里长大，我们都是从小就会弯腰的小孩。我在这个行业结交的许多艺人朋友，我们各自在这个行业里打拼，事业难免有高低，那就是生命的常态，但我们却从来不会因为那些高低，就不再是朋友，因为那跟我选择你是我朋友的条件完全无关；又或者说，我们彼此会成为朋友，也许正是因为我很欣赏，你懂得弯腰的姿势啊……

这几年，当我事业的云霄飞车，又好像突然转了个弯，开始往上冲……我不知道它究竟可以继续冲向多高？又或者它会不会在哪个转折，又突然改变了方向？

但我想我永远不会忘记“弯腰”的姿势。

那是我的感激、我的肺腑之言；那更是我的庆幸，**全是因为那段谷底期，才让我能从“弯腰”的视觉角度，又看见了一个更大的世界**！

因为田里越饱满的稻穗，总是越低垂；因为速度越快的跑车，车身总是越低；因为那些即将在鸣枪后，冲出最快速度的选手，总是弯腰蹲下把自己的姿势压到最低……
如果你也希望自己可以冲向更大的世界。
弯腰，就是最好的姿势。

罗妈妈说：
重要的不是谁对？
而是什么才是“对”的！

LESSON 23

每个人都是你的老师

懂得欣赏别人的人，一定也被众人欣赏。

每个人都是你的老师

从小妈妈对我在学校的功课比较随缘。
可是生活中要学的功课就不一样，尤其是做人的道理，她要求得很严厉。
因为她说：我宁可不要一个儿子，也不要社会多一个败类！

当我第一次听到这句话时，我被恐吓得很厉害，因为我知道我妈是来真的。于是我急忙问："那做人的道理要去哪里学啊？"

"做人的功课当然是要跟'人'学啊！你遇见的每一个人，如果你喜欢他，那就问问自己为什么喜欢他，然后学习他的优点；如果你遇见一个人人讨厌的人，那也不要因为讨厌他，就急着走开，你反而应该想想他为什么会不讨人喜欢呢？然后你就提醒自己不要变成那个样子。"
"只要你用心看，每个人都是你的老师！"妈妈最后这么说。

我想着妈妈的话，那跟我以往的经验差很多，我只知道要多看书才会学到知识——我从不知道还可以光用看的，看着那些跟你的生命，交会而过的人，就可以学会做人的道理。

那是我接下来的人生旅程中，开始学习打开"'心'的眼睛"

观察人的时光，**我发现遇见喜欢的人，学习他受人喜欢的优点比较容易；要从一个你不喜欢、甚至伤害你的人身上，学习做人的道理，却真的非常非常困难……**

那是我在蛰伏多年后，终于被公司告知，我将有机会发行我的第一张个人专辑。
我非常高兴，因为我真的准备了好久，我有满脑子的想法跟创意，感觉就要爆发出来。
“这个MV的脚本……嗯……还不错！”我在企划会议上吞吐地措词，“但是……在‘槟榔摊’拍的创意，有没有可能调整成，譬如……”我还想再讲下去，却突然被打断了……
“你以为你是谁？！你本来就很台！到‘槟榔摊’拍很适合啊！不然你想去哪儿拍？你没听过‘牛牵到哪儿还是牛吗？！’”就像一把钉枪，尤其是最后那句话，每个字都像一根钉子，连续射进我的心……
虽然当下我选择吞下那些话，但与其说我非常难过，倒不如说我很惊讶，为什么一个人可以把内心对对方的看轻，那么直接的说出来，而且完全不会担心，他随口而出那句话，可能会让一个年轻人从此爬不起来。

我很痛，但他是我的老师——那是我从此学会的不要看轻人。
直到现在我连进唱片公司都会跟总机打招呼，因为我知道，即便是一个公司最基层的人员，他都有他的梦想，而且只要他够

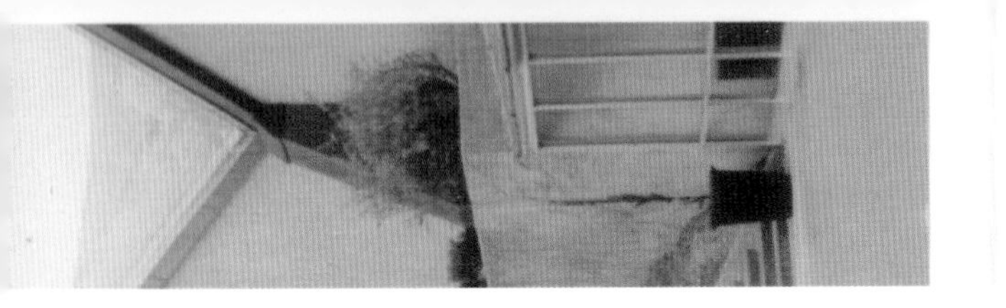

努力就会实现，他绝对不会一辈子都只当一个总机的！

就好像那张公司后来决定把专辑拿回来自己做，才没有让我这条牛在槟榔摊拍摄MV，而且销售证明罗志祥其实还是可以很流行的《Show time》专辑一样。

我也遇过真正的老师，他是当年制作界的前辈老师，因为我某个地方一直达不到他的要求，他突然把音乐关掉，对着麦克风大吼："你如果再继续唱，那我就不录；但如果你敢不录，我就马上打电话告诉你公司！"——那是连一根针掉到地上都听得见的死寂，录音室里那么多人看着我，没有人敢发出声音……那天晚上我选择一个人走路回家，我觉得在那一刻他应该很希望我死掉，因为他给我的选项，很像他希望我马上像美人鱼，化成海上的泡沫消失……我一个人在台北街头走了好久，我很痛！**但这位老师也成为我真正的老师——从此我成为工作团队里，给自己订下最高要求标准的人。**

我更发现，那些我们在快乐的气氛里遇见的老师，所学会的道理，比较容易忘记；而**那些让你难过或伤害你的老师，所教会你的人生道理，却经常让你永生难忘。**

这就是这些年，我依照妈妈跟我说的方法，在我自己的日子里，因缘际会而遇见的人，他们各式各样——却都成为我的人生养分，不同于课本里抽象的论述，如此真实而深刻地教会我许多道理。

在这个观人的学习里，我发现自己还有一些意外的收获。我因为那些细心观察，竟然还培养出了模仿的天分；更因为那些日常生活里对人的观察，而让我在拿到一份剧本后，马上就可以想象出来那个角色，应该要有的动作跟神韵；我见人总是几乎过目不忘，一些连我身边的经纪人小霜，后来再遇见时都忘记他是谁的人，我却可以马上说出那个人的工作跟名字，而让她直呼神奇！说我是不是在脑袋里藏了一本名片簿……

哈！连我自己都觉得蛮奇妙的。
但却其实一点都不难。

不信你下次用“心”看看。
才发现……
原来满街都是你的老师。

罗妈妈说：
会找你麻烦的人，就是眼底还有看见你的人，也是会让你进步最快的人。

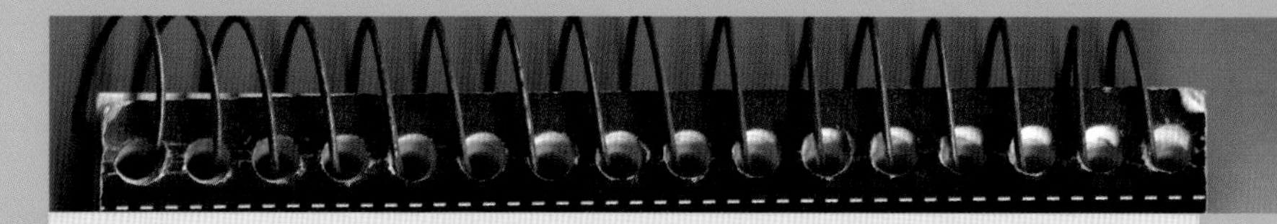

“

LESSON 24

下一回合马上开始

太早来的“成功”，也意味：
你还有很多时间可以“失败”！

下一回合马上开始

我很少跟妈妈不讲话，但当年为了合约问题，我们却冷战了一个月。
那个晚上我坐在客厅，气氛凝结，我的心武装得很刚强，却经不起爸爸突然一句："好了啦！妈妈，你自己生的小孩，你还不了解吗？他的个性是什么苦都往肚子里吞的，一定是受不了才会下这个决定的……"我撑了一个月的眼泪，一下子忍不住蹦出来……
我看着妈妈，那是我们很久不曾的眼神交会，我知道她会安慰我，一个趴在地上的男孩，在这时很需要妈妈的安慰。

"还活着吗？如果还没死就站起来，继续打下一回合的拳击赛！"

我诧异地看着妈妈，那句话像一记重拳轰在我的脑门上！我有点晕，却又一下子全醒了——对啊！我还活着！我还年轻，路还很长，我还有下一回合的赛事要准备，我还在场边浪费时间等什么？！

在那个被痛击的夜晚，我想很多，那是我突然的一夜长大……我看着天快亮了，窗外的人声、车声就要开始活络的时候，我跟自己说：我的下一个回合，就从这个日出开始。

这几年，当我又重新站回我人生的拳击场，当我又开始陆续在那些赛事里赢得成功；它们可能是我的专辑又破了销售纪录、演唱会又加开了几场，又或者是我又接了多少广告……在我知道的第一时间里，我还是会高兴得跳起来！因为那都是我努力挥汗后的收成……

但我一定会在下一分钟，马上提醒自己：下一回合马上又要开始了！

因为人生很长、赛事很多，在那一场又一场的比赛里，我们都希望成功、都讨厌失败，但是不管这一次是成功或失败，你都阻止不了一个铁的事实，那就是下一回合的赛事，绝对不会因为你正欢喜于成功、或是沮丧着失败，就稍微晚一点开始。

所以成功的人接下来有机会输；失败的，也绝对有机会在下一次赢！

所以赢的人，不要高兴太久；输的人也要有那个志气，在心里勇敢地对那个人说：“不要瞧不起我，总有一天，我一定会比你强！”

前阵子媒体一直在报道的“买榜事件”，我相信所有在榜单上的选手应该跟我都有一样的想法：得冠军很好！那是每个人都想要的，是每个选手在一段期间的努力后，希望得到的阶段性证明——但我实在是不想在那个时间点上纠结太久，尤其是在这个淘汰率超高的行业，赢一次当然很好，但能够在这个舞台上站得久的，才是真正的冠军吧！

我现在崇拜的拳王，并不是他这次赢或输；我所真正崇拜的，是他可以在拳击台上打多少年，可以赢多久——那些在过程中所展现的，持续的勇气跟毅力，那才是我衷心佩服，才是真勇士，才是真正的生命传奇。

撑得久的，才最赢！
那是我在历练多年的生命赛事后，最想说的话。我更将它化成2010“舞法舞天”世界巡回演唱会里的“生命之舞”篇——那是一场约莫两分钟半的独舞，舞台大屏幕上跑着字：“否定、打击、挫败、误解、愤怒、疑惑、决定、梦想、坚持”……我在字幕下独舞着，那正是我出道十五年来的历程，我奋力挥汗、情绪激动，最后我动作定格，字幕跑出：“我从不放弃！因为我拥有你们。”——那就是我这十五年来，经历八方风雨、挫折起伏，最后都化成这简单一句的心情。

全来自那记重拳，那是一个了解儿子的妈妈，精算过力度和时机，一出手就刚好让一个沮丧的小孩，接下来不管面对成功或失败，都会想起的教训。
还有勇气。

只要你还活着。
那就对自己一直充满自信吧!
因为下一回合，马上就又要开始了……

监制：天地合娱乐制作有限公司
艺人经纪：天地合娱乐制作有限公司
制作：角子工作室有限公司
宣传：大四喜
文字：罗志祥　角子
摄影师：苏益良
造型：苏文岐（Mandy）
美术设计：NY13909
化妆：姚纯美
发型：何淑瑜Cora（HC）
摄影助理：Naka、小羊（亮亮摄影）
罗志祥国际歌迷协会：www.stage-show.com

场地协助：人纹艺术

特别感谢：MORRIS K PARIS

独一无二 罗志祥
SHOW
Only for You
2011罗志祥
第8张 全新个人大碟
独一无二
2/18 全面发行
[潮男绅仕系]48页
玩美写真集

独一无二 罗志祥

SHOW

Only for You